Henrich Stillings

Jugend

Johann Heinrich Jung-Stilling

Herausgeber: Culturea (34, Hérault)
Druck: BOD - In de Tarpen 42, Norderstedt (Deutschland)
Website: http://culturea.fr
Kontakt: infos@culturea.fr
ISBN:9782385084714
Veröffentlichungsdatum: November 2022
Layout und Design: https://reedsy.com/
Dieses Buch wurde mit der Schriftart Bauer Bodoni gesetzt.

ER WIRT MIR GEBEN

Eine wahrhafte Geschichte

In Westphalen liegt ein Kirchsprengel in einem sehr bergichten Landstriche, auf dessen Höhen man viele kleine Grafschaften und Fürstenthümer übersehen kann. Das Kirchdorf heißt Florenburg; die Einwohner aber haben von Alters her einen großen Eckel vor dem Namen eines Dorfs gehabt, und daher, ob sie gleich auch von Ackerbau und Viehzucht leben müßen, vor den Nachbarn, die bloße Bauren sind, immer einen Vorzug zu behaupten gesucht, die ihnen aber auch dagegen nachsagten, daß sie vor und nach den Namen Florendorf verdrängt und an dessen Statt Florenburg eingeführet hätten. Dem sey aber wie ihm wolle, es ist wirklich ein Magistrat daselbst, dessen Haupt zu meiner Zeit Johannes Henrikus Scultetus war. Ungeschlachte, unwissende Leute nannten ihn außer dem Rathhause Meister Hanns, hübsche Bürger pflegten doch auch wohl Meister Schulde zu sagen.

Eine Stunde von diesem Orte süd-ostwärts liegt ein kleines Dörfchen Tiefenbach, von seiner Lage zwischen Bergen so genannt, an deren Fuße die Häuser zu beiden Seiten des Wassers hängen, das sich aus den Thälern von Süd und Nord her just in die Enge und Tiefe zum Fluß hinsammelt. Der östliche Berg heißt der Giller, geht steil auf, und seine Fläche nach Westen gekehrt, ist mit Maibuchen dicht bewachsen. Von ihm ist eine Aussicht über Felder und Wiesen, die auf beyden Seiten durch hohe verwandte Berge gesperrt wird. Sie sind ganz mit Buchen und Eichen bepflanzt, und man sieht keine Lücke, außer wo manchmal ein Knabe einen Ochsen hinauf treibt und Brennholz auf halbgebahntem Wege zusammenschleppt.

Unten am nördlichen Berge, der Geissenberg genannt, der wie ein Zuckerhut gegen die Wolken steigt, und auf dessen Spitze Ruinen eines alten Schlosses liegen, steht ein Haus, worinnen Stillings Eltern und Voreltern gewohnt haben.

Vor ohngefähr dreißig Jahren lebte noch darinn ein ehrwürdiger Greis, Eberhard Stilling, ein Bauer und Kohlenbrenner. Er hielt sich den ganzen Sommer durch im Walde auf, und brannte Kohlen; kam aber wöchentlich einmal nach Hause, um nach seinen Leuten zu sehen, und sich wieder auf eine Woche mit Speisen zu versehen. Er kam gemeiniglich Sonnabends Abends, um den Sonntag nach Florenburg in die Kirche gehen zu können, allwo er ein Mitglied des Kirchenraths war. Hierinnen bestunden auch die mehresten Geschäfte seines Lebens. Sechs großgezogene Kinder hatte er, wovon die zween ältesten Söhne, die vier jüngsten aber Töchter waren.

Einsmals als Eberhard den Berg herunter kam, und mit dem ruhigsten Gemüthe die untergehende Sonne betrachtete, die Melodie des Liedes, Der lieben Sonnen Lauf und Pracht hat nun den Tag vollführet, auf einem Blatt pfif, und dabey das Lied durchdachte, kam sein Nachbar Stähler hinter ihm her, der ein wenig geschwinder gegangen war, und sich eben nicht viel um die untergehende Sonne bekümmert haben mochte. Nachdem er eine Weile schon nahe hinter ihm gewesen, auch ein paarmal fruchtlos gehustet hatte; fieng er ein Gespräch an, das ich hier wörtlich beifügen muß.

»Guten Abend, Ebert!«

Dank hab, Stähler! (indem er fortfuhr auf dem Blatt zu pfeifen.)

»Wenn das Wetter so bleibt, so werden wir unser Gehölze bald zugerichtet haben. Ich denke, dann sind wir in drey Wochen fertig.«

Es kann seyn. (Nun pfif er wieder fort.)

»Es will so nicht recht mehr mit mir fort, Junge! Ich bin schon acht und sechzig Jahr alt, und du wirst halt siebenzig haben.«

Das soll wohl seyn. Da geht die Sonne hinter den Berg unter, ich kann mich nicht genug erfreuen über die Güte und Liebe Gottes. Ich war so eben in Gedanken drüber; es ist auch Abend mit uns, Nachbar Stähler! der Schatten des Todes steigt uns täglich näher, er wird uns erwischen, ehe wirs uns versehen. Ich muß der ewigen Güte danken, die mich nicht nur heute sondern den ganzen Lebenstag durch mit vielem Beistand getragen, erhalten und versorgt hat.

»Das kann wohl seyn!«

Ich erwarte auch wirklich ohne Furcht den wichtigen Augenblick, wo ich von diesem schweren, alten und starren Leib befreyt werden soll, um mit den Seelen meiner Voreltern, und anderer heiligen Männer, in einer ewigen Ruhe umgehen zu können. Da werd' ich finden: Doktor Luther, Calvinus, Oecolampadius, Bucerus, und andere mehr, die mir unser seeliger Pastor, Herr Winterberg, so oft gerühmt, und gesagt hatte, daß sie nächst den Aposteln, die frömmsten Männer gewesen.

»Das kann möglich seyn! Aber sag' mir, Ebert, hast du die Leute, die du da herzählst, noch gekannt?«

Wie schwazest du? die sind über zweihundert Jahr todt.

»So! – das wäre!«

Dabei sind alle meine Kinder groß, sie haben schreiben und lesen gelernt, sie können ihr Brod verdienen, und haben mich und meine Margrethe bald nicht mehr nöthig.

»Nöthig? – hat sich wohl! – Wie leicht kann sich ein Mädchen oder Junge verlaufen, sich irgend mit armen Leuten abgeben, und seiner Familie einen Klatsch anhängen, wann die Eltern nicht mehr Acht geben können!«

Vor dem allen ist mir nicht bange. Gott Lob! daß mein Achtgeben nicht nöthig ist. Ich hab' meinen Kindern durch meine Unterweisung und Leben einen so großen Abscheu gegen das Böse eingepflanzt, daß ich mich nicht mehr zu fürchten brauche.

Stähler lachte herzlich! eben wie ein Fuchs lachen würde, wenn er könnte, der dem wachsamen Hahn ein Hühnchen entführt hat, und fuhr fort:

»Ebert, du hast viel Vertrauen auf deine Kinder. Ich denke aber du wirst wohl die Pfeife in den Sack stecken, wann ich dir alles sagen werde, was ich weiß.«

Stilling drehte sich um, stund, und stützte sich auf seine Holzaxt, lächelte mit dem zufriedensten und zuversichtlichsten Gesichte, und sagte: Was weißest du denn, Stähler, das mir so weh in der Seele thun soll?

»Hast du gehört, Nachbar Stilling, daß dein Wilhelm, der Schulmeister, heurathet?«

Nein, davon weis ich noch nichts.

»So will ich dir sagen, daß er des vertriebenen Predigers Morizens Tochter zu Lichthausen haben will, und daß er sich mit ihr versprochen hat.«

Daß er sich mit ihr versprochen hat, ist nicht wahr; daß er sie aber haben will, das kann seyn.

Nun giengen sie wieder.

»Kann das seyn? Ebert! – Kannst du das leiden? Ein Bettelmensch, das nichts hat, kannst du das deinem Sohn geben?«

Gebettelt haben des ehrlichen Mannes Kinder nie; und wann sie's hätten? – Aber welche Tochter mag es seyn? Moriz hat zwo Töchter.

»Dortchen.«

Mit Dortchen will ich mein Leben beschließen. Nie will ich es vergessen! Sie kam einmal zu mir auf einen Sonntag Nachmittag, grüßte mich und Margrethe von ihrem Vater, setzte sich und schwieg. Ich sah ihr an den Augen an, daß sie was wollte, auf den Backen aber daß sie's nicht sagen konnte. Ich fragte sie, braucht ihr was? Sie schwieg und seufzte. Ich ging und holte ihr vier Reichsthaler; da! sagte ich, die will ich euch leihen, biß ihr mir sie wieder geben könnt.

»Du hättest sie ihr wohl schenken können; die bekommst du dein Lebetag nicht wieder.«

Das war auch meine Meinung, daß ich ihr das Geld schenken wollte. Hätt' ich es ihr aber gesagt, das Mädchen hätte sich noch mehr geschämt. Ach, sagte sie, bester liebster Vater Stilling! (das gute Kind weinte blutige Thränen) wenn ich seh', wie mein alter Papa sein trocken Brod im Munde herumschlägt, und kann es nicht kauen, so blutet mir das Herz. – Meine Margrethe lief, holte einen großen Topf süße Milch, und seitdem hat sie alle Woche ein paarmal süße Milch dahin geschickt.

»Und du kannst leiden, daß Wilhelm das Mädchen nimmt?«

Wenn er's haben will, von Herzen gern. Gesunde Leute können was verdienen, reiche Leute können das Ihrige verlieren.

»Du hast vorhin gesagt, du wüßtest noch nichts davon. Du weißt doch, wie du sagst, daß er sich noch nicht mit ihr versprochen hat.«

Das weis ich! – Er fragt mich gewiß vorher.

»Hör'! Er dich fragen? Ja, da kannst du lange warten!«

Stähler! ich kenne meinen Wilhelm. Ich hab' meinen Kindern immer gesagt, sie könnten so arm und so reich heurathen als sie wollten und könnten, sie sollten nur auf Fleiß und Frömmigkeit sehen. Meine Margrethe hatte nichts, und ich ein Gut mit vielen Schulden. Gott hat mich gesegnet, ich kann jedem hundert Gulden baar mitgeben.

»Ich bin kein Gleichviels-Mann, wie du! Ich muß wissen was ich thue, und meine Kinder sollen heurathen wie ich's vor's beste erkenne.«

Ein jeder macht die Schuh nach seinem Leisten, sagte Stilling. Nun war er nah vor seiner Hausthür.

Margaretha Stillings hatte schon ihre Töchter zu Bette gehen lassen. Ein Stück Pfannenkuchen stund für ihren Ebert auf einem irdenen Teller in der heißen Asche; sie hatte auch noch ein wenig Butter dazu gethan. Ein Kümpchen mit gebrockter Milch stund auf der Bank, und sie begann zu sorgen, wo ihr Mann wohl so lange bleiben möchte. Indem rasselte die Klinke an der Thür, und er trat herein. Sie nahm ihm seinen leinenen Queersack von der Schulter, deckte den Tisch und brachte ihm sein Essen. Jemini, sagte Margrethe, der Wilhelm ist noch nicht hier. Es wird ihm doch nicht etwa Unglück begegnet seyn. Sind auch wohl Wölfe hier herum? Hat sich wohl, sagte der Vater, und lachte: denn das war so seine Gewohnheit, er lachte oft hart wenn er ganz allein war.

Der Schulmeister, Wilhelm Stilling, trat hierauf in die Stube. Nachdem er seine Eltern mit einem guten Abend gegrüßt, setzte er sich auf die Bank, legte die Hand an den Backen, und war tiefsinnig. Er sagte lange kein Wort. Der alte Stilling stocherte seine Zähne mit einem Messer, denn das war so seine Gewohnheit nach Tische zu thun, wenn er auch schon kein Fleisch gegessen hatte. Endlich fing die Mutter an: Wilhelm, mir war als bang, dir sollte was wiederfahren seyn, weil du so lange bleibst. Wilhelm antwortete: O! Mutter! das hat keine Noth. Mein Vater sagt ja oft, wer auf seinen Berufswegen geht, darf nichts fürchten. Hier wurd' er bald bleich, bald roth; endlich brach er stammelnd los, und sagte: Zu Lichthausen (so hieß der Ort, wo er Schule hielt, und dabei den Bauren ihre Kleider machte) wohnt ein armer vertriebener Prediger; ich wäre wohl willens seine jüngste Tochter zu heurathen; wenn ihr beide Eltern es zufrieden seyd, so wird sich keine Hinderniß mehr finden. Wilhelm, antwortete der Vater, du bist drei und zwanzig

Jahr alt; ich habe dich lehren lassen, du hast Erkenntniß genug, kannst dir aber in der Welt nicht selber helfen, denn du hast gebrechliche Füße; das Mädchen ist arm, und zur schweren Arbeit nicht angeführt; was hast du für Gedanken dich ins künftige zu ernähren? Der Schulmeister antwortete: Ich will mit meiner Handthierung mich wohl durchbringen, und mich im übrigen ganz an die göttliche Vorsorge übergeben; die wird mich und meine Dorthe eben sowohl nähren, als alle Vögel des Himmels. Was sagst du Margreth? sprach der Alte. – Hm! was sollt ich sagen, versetzte sie: weißt du noch, was ich dir zur Antwort gab, in unsern Brauttagen? Laß uns Wilhelmen mit seiner Frau bei uns nehmen, er kann sein Handwerk treiben. Dortee soll mir und meinen Töchtern helfen, so viel sie kann. Sie lernt noch immer etwas, denn sie ist noch jung. Sie können mit uns an den Tisch gehen; was er verdient, das giebt er uns, und wir versorgen dann beide mit dem Nöthigen: so gehts, meyn' ich, am besten. Wenn du meinst, erwiederte der Vater, so mag er das Mädchen holen. Wilhelm! Wilhelm! denke was du thust, es ist nichts geringes. Der Gott deiner Väter segne dich mit allem, was dir und deinem Mädchen nöthig ist. Wilhelmen stunden die Thränen in den Augen. Er schüttelte Vater und Mutter die Hand, versprach ihnen alle Treue, und gieng zu Bette. Und nachdem der alte Stilling sein Abendlied gesungen, die Thür mit dem hölzernen Wirbel zugeklemmt, Margrethe aber nach den Kühen gesehen hatte, ob sie alle lägen und wiederkäueten, so gingen sie auch schlafen.

Wilhelm kam auf seine Kammer, an welcher nur ein Laden war, der aber eben so genau nicht schloß, daß nicht so viel Tag hätte durchschimmern können um zu wissen, ob man aufstehen müsse.

Dieses Fenster war noch offen, daher trat er an dasselbe, es sah gerade gegen den Wald hin, alles war in tiefer Stille, nur zwo Nachtigallen sangen wechselsweise auf das allerlieblichste. Dieses war Wilhelmen öfters ein Wink gewesen. Er sank an der Wand nieder. O Gott! seufzte er, dir dank ich, daß du mir solche Eltern gegeben hast! O laß sie Freude an mir sehen! Laß mich ihnen nicht zur Last seyn! Dir dank ich, daß du mir eine tugendhafte Frau giebst! O segne mich! – Thränen und Empfindungen hemmten ihm die Sprache, und da redete sein Herz unaussprechliche Worte, welche nur die Seelen empfinden und kennen, die sich in gleicher Lage befunden haben.

Nie hat jemand sanfter geschlafen als der Schulmeister. Sein inniges Vergnügen weckte ihn des Morgens früher als sonst. Er stund auf, ging heraus in den Wald, und erneuerte alle seine heilige Vorsätze die er je in seinem Leben sich vorgenommen hatte. Um sieben Uhr gieng er wieder nach Haus, und aß mit seinen Eltern und Schwestern die süße Milchsuppe, und ein Butterbrod. Nachdem sich nun der Vater zuerst, hernach auch der Sohn den Bart abgemacht, die Mutter aber mit den Töchtern sich berathschlaget, wer unter ihnen zu Hause bleiben, und wer in die Kirche gehen sollte, so zog man sich an. Dieses alles war in einer halben Stunde geschehen; sodann gingen die Töchter vor, darnach Wilhelm, und zu hinterst der Vater mit seinem dicken Dornenstocke. Wenn der alte Stilling mit seinen Kindern ausging, so mußten sie allemal vor ihm gehn, damit er, wie er zu sagen pflegte, den Gang und die Sitten seiner Kinder sehen und sie zur Ehrbarkeit anführen könnte.

Nach der Predigt ging Wilhelm wieder nach Lichthausen, wo er Schulmeister war, und wo auch sein älterer verheyratheter Bruder, Johann Stilling, wohnte. In einem andern Nachbarhause hatte der alte Pastor Moriz mit seinen zwo Töchtern ein paar Kammern gemiethet, in welchen er sich aufhielte. Nachdem nun den Nachmittag Wilhelm seinen Bauern eine Predigt in der Capelle vorgelesen, und mit ihnen nach altem Brauch ein Lied gesungen, so eilte er, so geschwind als es nur seine gebrechliche Füße zulassen wollten, nach Herr Morizen. Der alte Mann saß eben vor seinem Clavier, und spielte ein geistlich Lied. Sein Schlafrock war sehr reinlich, und schön gewaschen, nirgend sah man einen Riß, aber wohl hundert Lappen. Neben ihm auf einer Kiste saß Dorothe, ein Mädchen von zwei und zwanzig Jahren, ebenfalls sehr reinlich, aber ärmlich, angezogen, die gar anmuthig das Lied zu ihres Vaters Melodie sang. Sie winkte ihrem Wilhelm heiterlächelnd. Er setzte sich bei sie und sang mit ihr aus ihrem Buch. Sobald das Lied zu Ende war, grüßte der Pastor Wilhelmen und sagte: Schulmeister, ich bin nie vergnügter, als wenn ich spiele und singe. Wie ich noch Prediger war, da ließ ich manchmal lange singen, weil unter so viel vereinigten Stimmen das Herz weit über alles Irdische sich wegschwingt. Doch ich muß etwas anders mit euch reden. Mein Dortchen hat mir gestern Abend herausgestammelt, daß es euch lieb habe; ich bin aber arm; was sagen eure Eltern? Sie sind mit allem herzlich wohl zufrieden, antwortete Wilhelm. Dortchen drungen Thränen aus ihren hellen Augen, und der alte ehrwürdige Mann stand auf, nahm seiner Tochter rechte Hand, gab sie Wilhelmen und sagte: Ich habe nichts in der Welt als zwo Töchter; diese ist mein Augapfel; nimm sie, Sohn! nimm sie! – Er weinte – »der Seegen Jehova triefe auf euch herunter, und mache euch gesegnet vor ihm und seinen Heiligen und gesegnet vor der Welt! Eure Kinder müßen wahre Christen werden, eure Nachkommen seyen groß! Sie müßen angeschrieben stehn im Buche des Lebens! Mein ganzes Leben war Gott geheiliget; unter vielen Schwachheiten, aber ohne Anstoß hab' ich gewandelt und alle Menschen geliebt; dies sey auch eure Richtschnur, so werden meine Gebeine im Frieden ruhen!« Er wischte sich hier die Augen. Beide Verlobten küßten ihm Hände, Backen und Mund, und hernach auch sich selbst zum erstenmale, und so saßen sie wieder nieder. Der alte Herr fing hierauf an: Aber Dortchen, dein Bräutigam hat gebrechliche Füsse, hast du das noch nicht gesehn? Ja, Papa, sagte sie, ich hab's gesehn; aber er redet immer so gut und so fromm mit mir, daß ich selten Acht auf seine Füße gebe.

»Gut, Dortchen, die Mädchen pflegen doch auch wohl auf die Leibesgestalt zu sehen.«

Ich auch, Papa, gab sie zur Antwort; aber Wilhelm gefällt mir so, wie er ist. Hätte er nun gerade Füße, so wäre er Wilhelm Stilling nicht, und wie würde ich ihn denn lieb haben können?

Der Pastor lächelte zufrieden und fuhr fort: Du wirst nun diesen Abend auch die Küche bestellen müssen, denn der Bräutigam muß mit dir essen. Ich hab' nichts, sagte die unschuldige Braut, als ein wenig Milch, Käse und Brod; wer weiß aber, ob mein Wilhelm damit zufrieden ist? Ja, versetzte Wilhelm, ein Stück trocken Brod mit euch zu essen, ist angenehmer, als fette Milch mit Weisbrod und Eyerpfannenkuchen. Herr Moriz zog indessen seinen abgetragenen braunen Rock mit schwarzen Knöpfen und Knopflöchern an, nahm sein lakirt gewesenes Rohr, ging und sagte: Da will ich zum Amtsverwalter gehn, er wird mir seine Flinte leihen, und dann will ich sehn, ob ich etwas schießen kann. Das that er oft, denn er war in seiner Jugend ein Freund von der Jagd gewesen.

Nun waren unsere Verlobte allein, und das hatten sie beide gewünscht. Wie er fort war, schlugen sie die Hände in einander, saßen neben einander, und erzählten sich, was ein jedes empfunden, geredt und gethan, seitdem sie sich einander gefallen hatten. Sobald sie fertig waren, fingen sie wieder von vorne an, und gaben der Geschichte vielerlei Wendungen; so war sie immer neu: für alle Menschen langweilig, nur für sie nicht.

Friederike, Morizens andere Tochter, unterbrach dieses Vergnügen. Sie stürmte herein, indem sie ein altes Historien-Lied dahersang. Sie stutzte. Stör' ich euch? fragte sie. – Du stöhrst mich nie, sagte Dortchen; denn ich gebe niemals Acht auf das, was du sagst oder thust. Ja du bist fromm, versetzte jene; aber du darfst doch so nah bei den Schulmeister sitzen? doch der ist auch fromm. – Und noch dazu dein Schwager, fiel ihr Dorothe in die Rede, heute haben wir uns versprochen. – Das giebt also eine Hochzeit für mich, sagte Friederike, und hüpfte wieder zur Thür hinaus.

Indem sie so vergnügt beysammen saßen, stürmte Friederike wüthend wieder in die Kammer. Ach! rief sie stammelnd, da bringen sie meinen Vater blutig ins Dorf. Jost der Jäger schlägt ihn noch immer, und drei von des Junkers Knechten schleppen ihn fort. Ach! sie schlagen ihn todt! Dortchen that einen hellen Schrei und floh zur Thür hinaus. Wilhelm eilte ihr nach, aber der gute Mensch konnte nicht so geschwind fort, wie die Mädchen. Sein Bruder Johann wohnte nah bei Morizen, dem rief er. Diese beide gingen dann auf den Lärm zu. Sie fanden Morizen in dem Wirthshause auf einem Stuhl sitzen; seine grauen Haare waren von Blut zusammengebacken; die Knechte und der Jäger stunden um ihn, fluchten, spotteten, knüpften ihm Fäuste vor die Nase, und eine geschossene Schnepfe lag vor Morizen auf dem Tisch. Der unpartheyische Wirth trug ruhig Brandwein zu. Friederike bat flehentlich um Gnade, und Dortchen um ein wenig Brandwein, dem Vater den Kopf zu waschen; allein sie hatte kein Geld zu bezahlen, und der Schade war auch zu groß für den Wirth, ihr ein halbes Glas zu schenken. Doch wie die Weiber von Natur barmherzig sind, so brachte die Wirthin einen Scherben, der unter dem Zapfen des Brandweinfasses gestanden, und daraus wusch Dortchen dem Vater den Kopf. Moriz hatte schon vielmal gesagt, daß ihm der Junker Erlaubnis gegeben, so viel zu schießen, als ihm beliebte; allein, der war nun jetzt zum Unglücke verreiset; der Pastor schwieg daher still und entschuldigte sich nicht mehr. So stunden die Sachen, als die Gebrüder Stilling ins Wirthshaus kamen. Die erste Rache die sie nahmen, war an einem Brandweinglase, womit der Wirth aus dem Keller kam, und es sehr behutsam trug, um nichts zu verschütten; wiewohl diese Vorsicht eben so gar nöthig nicht war, denn das Glas war über ein Viertel leer. Johann Stilling wischte dem Wirth über die Hand, daß das Glas gegen die Wand fuhr und in tausend Stücken sprang. Wilhelm aber war schon in der Stube, griff seinen Schwiegervater an der Hand, und führte ihn mit solchem Ernst aus der Stube, gleich als wenn er der Junker selbst gewesen wäre; sagte aber niemand etwas, sondern schwieg ganz still. Der Jäger und die Knechte drohten, hielten bald hie, bald da; allein

Wilhelm, der desto stärker in den Armen war, je schwächer seine Füße waren, sah und hörte nicht, schwieg immer still und arbeitete nur Morizen los. Wo er an seinem Rock eine zugeklemmte Hand fand, die brach er auf, und so brachte er ihn vor die Thür. Johann Stilling aber redete mit den Jägern und den Knechten, und seine Worte waren lauter Messer für sie; denn ein jeder wußte, wie hoch er bey dem Junker angeschrieben stund, und wie oft er mit ihm zu Abend speisen mußte. Die Sache lief am Ende dahin aus, daß der Jäger bei der Wiederkunft des Junkers abgesetzt, Morizen aber zwanzig Thaler für seine Schmerzen ausgezahlt wurden. Was ihnen noch schneller durchhalf, war, daß der ganze Platz vor dem Hause voller Bauren stand, welche Tobak rauchten, und sich mit dem Zusehn belustigten; und wo es nur darauf ankam, daß einer unter ihnen die Frage aufwarf, ob nicht durch diesen Vorfall Eingriff in ihre Freyheit geschehen sey? Plötzlich würden hundert Fäuste bereit gewesen seyn, ihre christliche Liebe gegen Morizen auf dem Nacken Jostens und seiner Gefährten zu beweisen. Auch war der Wirth eine feige Memme, der oft Ohrfeigen von seiner Frau verschlucken mußte; und endlich muß ich noch hinzufügen, der alte Stilling und seine Söhne hatten sich durch ihre ernste und abgesonderte Aufführung eine solche Hochachtung erworben, daß fast niemand das Herz hatte in ihrer Gegenwart nur zu scherzen; wozu noch kommt, was ich oben schon berührt, daß Johann Stilling bei dem Junker in großer Gnade stand. Nun wieder zur Geschichte.

Der alte Moriz wurde in wenig Tagen wieder besser, und man vergaß diese verdrießliche Sache um so eher, weil man sich mit viel vergnügteren Dingen beschäftigte, nemlich mit den Zurüstungen zur

Hochzeit, welche der alte Stilling und seine Margrethe ein- für allemal in ihrem Hause haben wollten. Sie mästeten ein paar Hüner zu Suppen; und ein fettes Milchkalb wurde dazu bestimmt, auf großen irdenen Schüsseln gebraten zu werden; gebackene Pflaumen die Menge, und Reis zu Breien, nebst Rosinen und Corinthen in die Hünersuppen, wurden im Ueberfluß angeschafft. Der alte Stilling hat sich wohl verlauten lassen, daß ihn diese Hochzeit, nur allein an Speisen und Victualien bei zehn Reichsthaler gekostet habe. Dem sey aber wie ihm wolle, alles war doch aufgeräumt. Wilhelm hatte vor der Zeit die Schule ausgesetzt; denn in solchen Zeiten ist man zu keinem Berufsgeschäfte aufgelegt. Auch brauchte er die Tage nothwendig, seiner Braut und Schwestern neue Kleider auf die Hochzeit zu machen, und sonst mancherlei zu handthieren. Stillings Töchter verlangten ebenfalls. Sie probirten öfters ihre neue Wämser und Röcke von feinem schwarzen Tuch; die Zeit wurd' ihnen Jahre lang, biß sie sie einmal einen ganzen Tag anhaben könnten.

Endlich brach dann der längst gewünschte Donnerstag an. Alles war den Morgen vor der Sonne in Stillings Hause wacker; nur der Alte, der den Abend vorher spät aus dem Wald gekommen war, schlief ruhig bis es Zeit war, mit den Brautleuten zur Kirche zu gehen. Nun gieng man in geziemender Ordnung nach Florenburg, allwo die Braut mit ihrem Gefolge schon angekommen war. Die Copulation ging ohne Widerspruch vor sich, und alle zusammen verfügten sich nun nach Tiefenbach zum Hochzeitmale. Zwei lange Bretter waren in der Stuben neben einander auf hölzerne Böcke gelegt, anstatt des Tisches; Margrethe hatte ihre feinste Tischtücher drüber gespreitet, und nun wurden die Speisen aufgetragen. Die Löffel waren von Ahornholz, schön glatt, mit ausgestochenen Rosen, Blumen und Laubwerk gearbeitet. Die Zulegmesser hatten schöne gelbe hölzerne Stiele; so waren auch die Teller schön rund und glatt vom härtesten weißen Buchenholz gedrechselt. Das Bier schäumte in weißen steinernen Krügen mit blauen Blumen. Doch stellte Margrethe auch einem jeden frei, anstatt des Biers von ihrem angenehmen Birnmost zu trinken, wenn jemand dazu Belieben tragen möchte.

Nachdem alle zur Gnüge gegessen und getrunken hatten, so wurden vernünftige Gespräche angestellt. Wilhelm aber und seine Braut wollten lieber allein seyn und reden; sie giengen daher tief in den Wald hinein. Mit der Entfernung von den Menschen wuchs ihre Liebe. Ach, wären keine Bedürfnisse des Lebens! keine Kälte, Frost und Nässe, was würde diesem Paar an einer irdischen Seeligkeit gemangelt haben? Die beiden alten Väter, die sich indessen mit einem Krug Bier allein gesetzt hatten, verfielen in ein ernstes Gespräch. Stilling redete also:

»Herr Mitvater, mir hat immer gedäucht, ihr hättet besser gethan, wann ihr euch an das Laboriren gar nicht gekehrt hättet.«

Warum, Mitvater?

»Wenn ihr eure Uhrmacherei beständig getrieben hättet, so hättet ihr reichlich euer Brod erwerben können; nun aber hat euch eure Arbeit nichts geholfen, und dasjenige, was ihr hattet, ist noch dazu drauf gegangen.«

Ihr habt Recht und auch Unrecht. Wenn ich gewußt hätte, daß dreißig bis vierzig Jahr hingehen würden, eh ich den Stein der Weisen würde gefunden haben, so hätte ich mich freilich bedacht, ehe ich angefangen hätte. Nun aber, da ich durch die lange Erfahrung etwas gelernt habe, und tief in die Erkenntnisse der Natur eingedrungen bin, nun würd' es mir leid thun, wenn ich mich umsonst sollte so lange geplagt haben.

»Ihr habt euch gewiß so lange umsonst geplagt, denn ihr habt euch einmal bisher kümmerlich beholfen. Ihr mögt nun so reich werden als ihr wollt, ihr könnt doch das Elend so vieler Jahre nicht in Glückseeligkeit verwandeln; und zudem glaub ich nicht, daß ihr ihn jemals bekommt. Wenn ich die Wahrheit sagen soll, ich glaube nicht, daß es einen Stein der Weisen giebt.«

Ich kann euch beweisen, daß es einen Stein der Weisen giebt. Ein gewisser Doktor Helvetius im Haag, hat ein klein Büchlein geschrieben, das güldne Kalb genannt; darinn ist es deutlich bewiesen, so daß niemand, auch der größte Ungläubige, wenn er's lieset, nicht mehr zweifeln kann. Ob ich denselben aber bekommen werde, das ist eine andere Frage. Warum nicht eben sowohl als ein anderer? da er ein freies Geschenk Gottes ist.

»Wenn euch Gott den Stein der Weisen schenken wollte, ihr hättet ihn schon lange! Warum sollte er ihn euch so lange vorenthalten? Zudem ist's ja nicht nöthig, daß ihr ihn habt; wie viel Menschen leben ohne den Stein der Weisen!«

Das ist wahr; aber wir sollen uns so glücklich machen, als wir können.

»Ein dreißigjährig Elend ist gewiß kein Glück; aber nehmt mir nicht übel (er schüttelte ihm die Hand), ich habe, so lang ich lebe, keinen

Mangel gehabt, bin gesund gewesen und alt geworden, meine Kinder hab' ich erzogen, lernen lassen, und ordentlich gekleidet. Ich bin recht vergnügt, und also glücklich. Man konnte mir den Stein der Weisen nicht schenken.«

»Aber hört, Mitvater! ihr singt recht gut, und schreibt schön; werdet Schulmeister hier im Dorfe! Friederiken könnt ihr vermiethen. Da hab' ich noch eine Kleiderkammer, darein will ich ein Bett stellen, so könnt ihr bei mir wohnen, und also immer bey euren Kindern seyn.«

Euer Anerbieten, Mitvater, ist sehr gut; ich werd' es auch annehmen, wenn ich nur noch einen Versuch werde gemacht haben.

»Macht keine Probe mehr, Mitvater! sie wird euch gewiß fehlen. Aber laßt uns von etwas anders reden. Ich bin ein so großer Liebhaber von der Sternwissenschaft; kennt ihr auch wohl den Sirius im großen Hund?«

Ich bin eben kein Sternkundiger, doch aber kenn ich ihn.

»Er steht gemeiniglich des Abends gegen Mittag. Er flammt so grünröthlich. Wie weit mag der wohl von der Erde seyn? Sie sagen, er soll wohl noch viel höher seyn als die Sonne.«

O! wohl tausendmal höher!

»Wie ist das möglich? Ich bin so ein Liebhaber von den Sternen. Ich meyn' immer, ich war schon dabei wenn ich sie besehe. Aber kennt ihr auch den Wagen und den Pflug?«

Ja, man hat sie mir wohl gewiesen.

»O welch ein wunderbarer Gott.«

Margrethe Stillings hörte dieses Gespräch; sie kam und setzte sich bei ihrem Mann. Ach Ebert! sagte sie, ich kann wohl an einer Blume seh'n, daß Gott wunderbar ist. Laßt uns die begreifen lernen! Wir wohnen bei dem Gras und den Blumen; die laßt uns hier bewundern; wann wir im Himmel sind, dann wollen wir die Sterne betrachten.

Das ist recht, sagte Moriz, es sind so viele Wunder in der Natur; wenn wir die recht betrachten, so können wir die Weisheit Gottes wohl kennen lernen. Doch ein jeder hat so etwas, wozu er besonders Lust hat.

So vertrieben die Hochzeitgäste den Tag. Wilhelm Stilling und seine Braut verfügten sich auch nach Hause, und fingen ihren Ehestand an; wovon ich im folgenden Capitel mehreres werde sagen.

Stillings Töchter aber saßen in der Dämmerung unter dem Kirschbaum und sungen folgendes schöne weltliche Liedlein:

Es ritt ein Ritter wohl über's Feld.

Er hatte kein'n Freund, kein Gut, kein Geld.

Sein Schwesterlein war hübsch und fein.

»Ach Schwesterlein! ich sage dir Adie.

Ich sehe dich ja nimmermehr.

Ich reite weg, in ein fremdes Land.

Reich du mir deine weiße Hand!«

Adie! Adie! Adie!

Ich sah, mein schönstes Brüderlein,

Ein buntig, artig Vögelein.

Es hüpfte im Wacholderbaum.

Ich warfs mit meinem Ringelein,

Es nahm ihn in sein Schnäbelein

Und flog weg in den Walde fort;

Mein Ringelein war ewig fort.

Adie! Adie! Adie!

»Schließ du dein Schloß wohl feste zu,

Halt dich fein still in guter Ruh.

Laß niemand in dein Kämmerlein!

Der Ritter mit dem schwarzen Pferd

Hat dich zumalen lieb und werth.

Nimm dich vor ihm gar wohl in Acht!

Mannich Mägdlein hat er zu Fall gebracht.«

Adie! Adie! Adie!

Das Mägdlein weinte bitterlich,

Der Bruder sah noch hinter sich,

Und grüßte sie noch einmal schön.

Da ging sie in ihr Kämmerlein,

Und konnte da nicht frölich seyn.

Den Ritter mit dem schwarzen Pferd.

Hätt' sie vor allem lieb und werth.

Adie! Adie! Adie!

Der Ritter mit dem schwarzen Roß

Hätt' Güter und viel Reichthum groß.

Er kame zum Jungfräulein zart.

Er kame oft um Mitternacht

Und gienge wann der Tag anbrach.

Er führt sie in sein Schlösselein

Zum anderen Jungfräulein fein.

Adie! Adie! Adie!

Sie kam dahin in schwarzer Nacht.

Sie sah daß er zu Fall gebracht

Viel edele Jungfrauen zart.

Sie nahm wohl einen kühlen Wein

Und goß ein schnödes Gift hinein

Und trunk's dem schwarzen Ritter zu.

Es giengen beiden die Aeugelein zu.

Adie! Adie! Adie!

Sie begruben den Ritter im Schlosse fein,

Das Mägdlein inbey ein Brünnelein.

Sie schläft da im kühlen Gras.

Um Mitternacht da wandelt sie umher

Am Mondeschein dann seufzet sie so sehr.

Sie wandelt da in weisigem Kleid

Und klaget da dem Wald ihr Leid.

Adie! Adie! Adie!

Der edle Bruder eilt herein

Bey diesem klaren Brünnelein,

Und sah' es sein Schwesterlein zart.

Was machst du mein Schwesterlein allhier?

Du seufzest so, was fehlt dann dir?

»Ich hab den Ritter in schwarzer Nacht,

Und mich, mit bösem Gift umgebracht.«

Adie! Adie! Adie!

Wie Nebel in dem weiten Raum

Flog auf das Mägdlein durch den Baum.

Man sah' sie wohl nimmermehr.

Ins Kloster gieng der Rittersmann

Und fing ein frommes Leben an.

Da betete er vor's Schwesterlein

Auf daß sie möchte selig seyn.

Adie! Adie! Adie!

Eberhard Stilling und Margrethe, seine eheliche Hausfrau erlebten nun eine neue Periode in ihrer Haushaltung. Da war nun ein neuer Hausvater und eine neue Hausmutter in ihrer Familie entstanden. Die Frage war also: Wo sollen diese beide sitzen, wenn wir speisen? – Um die Dunkelheit im Vortrag zu vermeiden, muß ich erzählen, wie eigentlich Vater Stilling seine Ordnung und Rang am Tische beobachtete. Oben in der Stube war eine Bank von einem eichenen Bret längs der Wand genagelt, die bis hinter den Ofen reichte. Vor dieser Bank dem Ofen gegen über stund der Tisch, als Klappe an die Wand befestigt, damit man ihn an dieselbe aufschlagen konnte. Er war aus einer eichenen Diele von Vater Stilling selbsten ganz fest und treuherzig ausgearbeitet. An diesem Tisch saß Eberhard Stilling oben an der Wand, wo er durch das Brett befestigt war, und zwar vor demselben. Vielleicht darum hatte er sich diesen vortheilhaften Platz gewählt, damit er seinen linken Ellenbogen auf das Bret stützen, und zugleich ungehindert mit der rechten Hand essen könnte. Doch davon ist keine Gewißheit, denn er hat sich nie in seinem Leben deutlich darüber erkläret. An seiner rechten Seiten vor dem Tisch saßen seine vier Töchter, damit sie ungehindert ab und zu gehen könnten. Zwischen dem Tisch und dem Ofen hatte Margrethe ihren Platz; eines Theils weil sie leicht fror, und andern Theils damit sie füglich über den

Tisch sehen könnte, ob etwa hier oder dort etwas fehlte. Hinter dem Tisch hatten Johann und Wilhelm gesessen, weil aber der eine verheyrathet war, und der andere Schule hielt, so waren diese Plätze leer, biß jezo, da sie dem jungen Ehepaar, nach reiflicher Ueberlegung, angewiesen wurden.

Zuweilen kam Johann Stilling seine Eltern zu besuchen. Das ganze Haus freute sich, wann er kam; denn er war ein besonderer Mann. Ein jeder Bauer im Dorf hatte auch Ehrfurcht für ihn. Schon in seiner frühen Jugend hatte er einen hölzernen Teller zum Astrolabium, und eine feine schöne Butterdose von schönem Buchenholz zum Compas umgeschaffen, und von einem Hügel geometrische Observationen angestellt. Denn zu der Zeit ließ der Landesfürst eine Landcharte verfertigen. Johann hatte zugesehen, wann der Ingenieur operirte. Zu dieser Zeit aber war er wirklich ein geschickter Landmesser, wurde auch von Edeln und Unedeln bei Theilung der Güter gebraucht. Große Künstler haben gemeiniglich die Tugend an sich, daß ihr erfinderischer Geist immer etwas neues sucht; daher ist ihnen dasjenige, was sie schon erfunden haben, und was sie wissen, viel zu langweilig, es ferner zu verfeinern. Johann Stilling war also arm; denn was er konnte, versäumte er, um dasjenige zu wissen, was er nicht konnte. Seine gute einfältige Frau wünschte oft, daß ihr Mann seine Künsteleien auf Feld und Wiesen zu verbessern wenden möchte, damit sie mehr Brod hätten. Allein laßt uns der guten Frauen ihre Einfalt verzeihen; sie verstund es nicht besser; wenigstens Johann war klug genug hiezu. Er schwieg oder lächelte.

Die Quadratur des Zirkels und die immerwährende Bewegung beschäftigten ihn zu dieser Zeit. War er nun in ein Geheimniß tiefer eingedrungen, so lief er geschwind nach Tiefenbach um seinen Eltern und Geschwistern seine Entdeckung zu erzählen. Kam er denn unten durchs Dorf herauf, und es erblickte ihn jemand aus Stillings Hause, so lief man gleich und rief alle zusammen, um ihn an der Thüre zu empfangen. Ein jedes arbeitete dann mit doppeltem Fleiß, um nach dem Abendessen nichts mehr zu thun zu haben. Dann setzte man sich um den Tisch, stützte die Ellenbogen drauf, und die Hände an die Backen, aller Augen waren auf Johanns Mund gerichtet.

Alle halfen denn an der Quadratur des Zirkels erfinden; selbst der alte Stilling verwendete vielen Fleiß auf diese Sache. Ich würde dem erfinderischen, oder besser, dem guten und natürlichen Verstande dieses Mannes Gewalt anthun, wenn ich sagen sollte: er hätte nichts in dieser Sache geleistet. Bei seinem Kohlenbrennen beschäftigte er sich damit. Er zog eine Schnur um sein Birnmostfaß, schnitt sie mit seinem Brodmesser ab; sägte dann ein Bret genau vierkantig, und schabte es so lange, bis die Schnur just drum paßte. Nun mußte ja das viereckigte Bret genau so groß seyn, als der Zirkel des Mostfasses. Eberhard sprang auf einem Fuß herum, verlachte die großen gelehrten Köpfe, daß sie aus dem einfältigen Dinge so viel Werks machten, und erzählte bei nächster Gelegenheit seinem Johann die Erfindung. Wir wollen die Wahrheit gestehn. Vater Stilling hatte wohl nichts höhnisches in seinem Charakter; doch lief hier eine kleine Satyre mit unter; aber der Landmesser machte bald der Freude ein Ende, indem er sagte: Es ist die Frage nicht, Vater! ob ein Schreiner einen viereckigten Kasten machen könne, der just so viel Haber enthalte, als eine runde cylindrische Tonne; sondern es muß ausgemacht seyn, wie sich der Diameter des Zirkels gegen seine Peripherie verhalte, und dann, wie groß eine Seite des Quadrats seyn müsse, wann es so groß als der Zirkel seyn soll. Aber in beiden Fällen darf an einem Facit nicht der tausendste Theil eines Haars fehlen. Es muß in der Theorie durch die Algeber bewirkt werden können, daß es wahr ist.

Der alte Stilling würde sich geschämt haben, wenn nicht die Gelehrsamkeit seines Sohns, und seine unmäßige Freude darüber, alles Schämen bey ihm verdrängt hätte. Er sagte deswegen nichts weiter, als: Mit Gelehrten ist nicht gut disputiren; lachte, schüttelte den Kopf, und fuhr fort von einem birkenen Klotz Späne zu schneiden, womit man Feuer und Lichter, auch allenfalls eine Pfeife Tobak anzünden konnte. Dieses war so seine Beschäftigung bei müßigen Stunden.

Stillings Töchter waren stark und arbeitsam. Sie pflegten die Erde, und sie gab ihnen reichliche Nahrung im Garten und Felde. Dortchen aber hatte zarte Glieder und Hände, sie wurde geschwind müde, und dann seufzte sie und weinte. Unbarmherzig waren nun die Mädchen eben nicht; aber sie konnten doch nicht begreifen, warum ein Weibsmensch, das eben so groß als ihrer eine war, nicht auch eben so gut sollte arbeiten können. Doch mußte ihre Schwägerin oft ausruhen, auch sagten sie ihren Eltern niemals, daß sie kaum ihr Brod verdiente. Wilhelm sah es bald ein; er erhielt daher von der ganzen Familie, daß seine Frau ihm am Nähen und Kleidermachen helfen sollte. Dieser Vertrag wurde geschlossen, und alle befanden sich wohl dabei.

Der alte Pastor Moriz besuchte nun auch zum erstenmal seine Tochter. Dortchen weinte für Freuden wie sie ihn sah, und wünschte

Hausmutter zu seyn, um ihm recht gütlich thun zu können. Er saß den ganzen Nachmittag bei seinen Kindern, und redete mit ihnen von geistlichen Sachen. Er schien ganz verändert, kleinmüthig und betrübt zu seyn. Gegen Abend sagte er: Kinder! führt mich einmal auf das Geißenberger Schloß. Wilhelm legte seinen eisernen schweren Fingerhut ab, und spuckte in die Hände; Dortchen aber steckte ihren Fingerhut an den kleinen Finger, und nun stiegen sie zum Wald auf. Kinder! sagte Moriz, mir ist hier so wohl unter dem Schatten der Maibuchen. Je höher wir kommen, je freier werd' ich. Es ist mir eine Zeit her gewesen, als einem der nicht zu Hause ist. Dieser Herbst muß wohl der letzte meines Lebens seyn. Wilhelm und Dortchen hatten Thränen in den Augen. Oben auf dem Berge, wo sie biß an den Rhein, und die ganze Gegend übersehen konnten, setzten sie sich an eine zerfallene Mauer des Schlosses. Die Sonne stand in der Ferne nicht hoch mehr über dem blauen Gebürge. Moriz sah starr dorthin, und schwieg lange; auch sagten seine Begleiter nicht ein Wort. Kinder! sprach er endlich, ich hinterlaß euch nichts, wenn ich sterbe. Ihr könnt mich wohl missen. Niemand wird um mich weinen. Ich habe mein Leben mühsam und unnütz zugebracht, und niemand glücklich gemacht. Mein lieber Vater! antwortete Wilhelm, ihr habt doch mich glücklich gemacht. Ich und Dortchen werden herzlich um euch weinen. Kinder! versetzte Moriz, unsere Neigungen führen uns leicht zum Verderben. Wie viel würde ich der Welt haben nutzen können, wenn ich kein Alchymist geworden wäre! Ich würde euch und mich glücklich gemacht haben! (Er weinte laut.) Doch denke ich immer daran, daß ich meinen Fehler erkannt habe, und nun noch will ich mich ändern. Gott ist ein Vater, auch über die irrende Kinder. Nun höret noch eine

Ermahnung von mir, und folgt derselben: Alles was ihr thut, das überlegt vorher wohl, ob es auch andern nützlich seyn könne. Findet ihr, daß es nur euch dienlich ist, so denkt: das ist ein Werk ohne Belohnung. Nur wo wir dem Nächsten dienen, da belohnt uns Gott. Ich habe arm und unbemerkt in der Welt dahingewandelt, und wann ich todt bin, dann wird man meiner bald vergessen; ich aber werde Barmherzigkeit finden vor dem Thron Christi, und selig seyn. Nun gingen sie wieder nach Haus, und Moriz blieb immer traurig. Er ging umher, tröstete die Armen und betete mit ihnen. Auch arbeitete er und machte Uhren, womit er sein Brod erwarb, und noch etwas übrig behielt. Doch dieses währte nicht lange, denn den folgenden Winter verlohr man ihn; man fand ihn nach dreien Tagen unter dem Schnee und war todt gefroren.

Nach diesem traurigen Zufall entdeckte man in Stillings Hause eine wichtige Neuigkeit. Dortchen war gesegneten Leibes, und jedermann freuete sich auf ein Kind, deren in vielen Jahren kein's im Hause gewesen war. Mit was für Mühe und Fleiß man sich auf Dortchens Entbindung gerüstet, ist nicht zu sagen. Der alte Stilling selbst freuete sich auf einen Enkel, und hoffte noch einmal vor seinem Ende seine alte Wiegenlieder zu singen, und seine Erziehungskunst zu beweisen.

Nun nahte der Tag der Niederkunft heran, und 1740 den 12ten September, Abends um 8 Uhr, wurde Henrich Stilling gebohren. Der Knabe war frisch, gesund und wohl, und seine Mutter wurde gleichfalls, gegen die Weissagungen der Tiefenbacher Sybillen, geschwind wieder besser.

Das Kind wurde in der Florenburger Kirche getauft. Vater Stilling aber, um diesen Tag feyerlicher zu machen, richtete ein Mahl an, bei welchem er den Herrn Pastor Stollbein zu sehen wünschte. Er schickte daher seinen Sohn Johann ans Pfarrhaus, und ließ den Herrn ersuchen, mit nach Tiefenbach zu gehen, um seinem Mahle beizuwohnen. Johann gieng, er that schon den Hut ab, als er in den Hof kam, um nichts zu versehen; aber leider, wie oft ist alle menschliche Vorsicht unnütz! Es sprang ein großer Hund hervor; Johann Stilling griff einen Stein, warf, und traf den Hund in eine Seite, daß er abscheulich zu heulen anfing. Der Pastor sah durchs Fenster was passirte; voll von Eifer sprang er heraus, knüpfte dem armen Johann eine Faust vor die Nase; Du lumpigter Flegel! krisch er, ich will dich lernen meinem Hund begegnen! Stilling antwortete: Ich wußte nicht, daß es Ew. Ehrwürden Hund war. Mein Bruder und meine Eltern lassen den Herrn Pastor ersuchen, mit nach Tiefenbach zu gehen, um der Taufmahlzeit beizuwohnen. Der Pastor ging und schwieg still. Doch murrte er aus der Hausthür zurück: Wartet, ich will mitgehen. Er wartete fast eine Stunde im Hof, liebkosete den Hund, und das arme Thier war auch wirklich versöhnlicher, als der große Gelehrte, der nun aus der Hausthüre herausging. Der Mann wandelte mit Zuversicht an seinem Rohrstab. Johann trabte furchtsam hinter ihm mit dem Hut unterm Arm; den Hut aufsetzen war eine gefährliche Sache; denn er hatte in seiner Jugend manche Ohrfeige von dem Pastor bekommen, wenn er ihn nicht früh genug, das ist, so bald er ihn in der Ferne erblickte, abgezogen hatte. Doch aber eine ganze Stunde lang mit bloßem Haupt, im September, unter freiem Himmel zu gehen, war doch auch entsetzlich! Daher sann er auf einen Fund wie er füglich seinen Kopf bedecken möchte. Plötzlich fiel der Herr Stollbein zur Erde, daß es platschte. Johann erschrack. Ach! rief er, Herr Pastor, habt ihr euch Schaden gethan? Was gehts euch an, Schlingel! war die heldenmüthige Antwort dieses Mannes, indem er sich aufrafte. Nun gerieth Johanns Feuer in etwas in Flammen, daß er herausfuhr: So freue ich mich denn herzlich, daß ihr gefallen seyd, und lächelte noch dazu. Was! Was! rief der Pastor. Aber Johann setzte den Hut auf, ließ den Löwen brüllen, ohne sich zu fürchten, und gieng. Der Pastor gieng auch, und so kamen sie denn endlich nach Tiefenbach.

Der alte Stilling stund vor der Thüre, mit bloßem Haupt; seine schönen grauen Haare spielten am Mund; er lächelte den Herrn Pastor an, und sagte, indem er ihm die Hand gab: Ich freue mich, daß ich in meinem Alter den Herrn Pastor an meinem Tisch sehen soll; aber ich würde so kühn nicht gewesen seyn, wenn meine Freude über einen Enkel nicht so groß wäre. Der Pastor wünschte ihm Glück, doch mit angehängter wohlmeinender Drohung, daß, wenn ihn nicht der Fluch des Eli treffen sollte, er mehr Fleiß auf die Erziehung seiner Kinder anwenden müßte. Der Alte stund da in seinem Vermögen und lächelte, doch schwieg er stille und führte Seine Ehrwürden in die Stube. Ich will doch nicht hoffen, sagte der Herr Pastor, daß ich hier unter dem Schwarm von Bauren speisen soll. Vater Stilling antwortete: Hier speißt niemand, als ich und meine Frau und Kinder, ist euch das ein Baurenschwarm? Ei, was anders! antwortete jener. So muß ich euch erinnern, Herr! – versetzte Stilling, daß ihr nichts weniger als ein Diener Christi, sondern ein Pharisäer seyd. Er saß bei den Zöllnern und Sündern, und aß mit ihnen. Er war überall klein und niedrig und demüthig. Herr Pastor! ... meine grauen Haare richten sich in die

Höhe; setzt euch oder geht wieder. Hier pocht etwas, ich möchte mich sonst an eurem Kleide vergreifen, wofür ich doch sonsten Respekt habe ... Hier! Herr! hier vor meinem Hause ritt der Fürst vorbei; ich stund da vor meiner Thür; er kannte mich. Da sagte er: Guten Morgen, Stilling! Ich antwortete: Guten Morgen, Ihr Durchlaucht! Er stieg vom Pferd, er war müde von der Jagd. Hohlt mir einen Stuhl, sprach er, hier will ich ein wenig ruhen. Ich habe eine luftige Stube, antwortete ich, gefällt es Ihro Durchlaucht in die Stube zu gehen, und da bequem zu sitzen? Ja! sagte er. Der Oberjägermeister gieng mit hinein. Da saß er, wo ich euch meinen besten Stuhl hingestellt habe. Meine Margrethe mußte ihm fette Milch einbrocken und ein Butterbrod machen. Wir beiden mußten mit ihm essen, und er versicherte, daß ihm niemalen eine Mahlzeit so gut geschmeckt habe. Wo Reinlichkeit ist, da kann ein jeder essen. Nun entschließt euch, Herr Pastor! – Wir alle sind hungrig. Der Pastor setzte sich und schwieg still. Da rief Stilling allen seinen Kindern, aber keines wollte kommen, auch selber Margrethe nicht hinein. Sie füllte dem Prediger ein irdenes Kümpchen mit Hünerbrüh, gab ihm einen Teller Cappes mit einem hübschen Stück Fleisch und einem Krug Bier. Stilling trug es selber auf; der Pastor aß und trank geschwind, redete nichts, und ging wieder nach Florenburg. Nun setzte sich alles zu Tische. Margrethe betete, und man speisete mit größtem Appetit. Auch selbst die Kindbetterin saß an Margrethens Stelle mit ihrem Knaben an der Brust. Denn Margrethe wollte ihren Kindern selbst dienen. Sie hatte ein sehr feines weißes Hemd, welches noch ihr Brauthemd war, angezogen. Die Ermel davon hatte sie bis hinter die Ellenbogen aufgewickelt. Von feinem schwarzen Tuch hatte sie ein Leibchen und Rock, und unter der Haube stunden graue Locken hervor, schön gepudert von Ehre und Alter. Es ist würklich unbegreiflich, daß während der ganzen Mahlzeit nicht ein Wort vom Pastor geredt wurde; Doch halte ich davor, die Ursache war, daß Vater Stilling nicht davon anfing.

Indem man so da saß und mit Vergnügen speiste, klopfte eine arme Frau an die Thüre. Sie hatte ein klein Kind auf dem Rücken in einem Tuch hängen, und bat um ein Stücklein Brod. Mariechen war hurtig. Die Frau kam in zerlumpten besudelten Kleidern, die aber doch die Form hatten, als wenn sie ehemals einem vornehmen Frauenzimmer zugehört hätten. Vater Stilling befahl, man sollte sie an die Stubenthüre sitzen lassen, und ihr von allem etwas zu essen geben. Dem Kinde kannst du etwas Reisbrei zu essen darreichen, Mariechen, sagte er ferner. Sie aß und es schmeckte ihr herzlich gut. Nachdem nun sie und ihr Kind satt waren, dankte sie mit Thränen und wollte gehen. Nein! sagte der alte Stilling, sitzet und erzählet uns, wo ihr her seyd, und warum ihr so gehen müßt. Ich will euch auch Bier zu trinken geben. Sie setzte sich und erzählte.

Ach lieber Gott! sprach sie. Leider ja! muß ich so gehen (Stillings Mariechen hatte sich neben sie, doch etwas von ihr abgesetzt, sie horchte mit größter Aufmerksamkeit, auch waren ihre Augen schon feucht). Ich bin ja leider ein armes Mensch. Vor zehn Jahren möchtet ihr Leute euch wohl eine Ehre draus gemacht haben, wann ich mit euch gespeist hätte.

Wilhelm Stilling. Das wäre!

Johann Stilling. Es sey denn, daß ihr eine Stollbeinische Natur gehabt hättet.

Vater Stilling. Seyd still, Kinder! Lasset die Frau reden!

»Mein Vater ist Pastor zu –«

Mariechen. Jemini! Euer Vater ein Pastor? (sie rückt näher.)

»Ach ja! Freilich ist er Pastor. Ein sehr gelehrter und reicher Mann.«

Vater Stilling. Wo ist er Pastor?

»Zu Goldingen im Barchinger Land. Ja freilich! Leider ja!«

Johann Stilling. Das muß ich doch auf der Landcharte suchen. Das muß nicht weit vom Mühlersee seyn, oben an der Spitze, gegen Septentrio zu.

»Ach, mein junger Herr! ich weiß keinen Ort nahe dabei, der Schlendrian heißt.«

Mariechen. Unser Johann sagte nicht Schlendrian. Wie sagtest du?

Vater Stilling. Redet ihr fort! St! Kinder!

»Nun war ich dazumal eine hübsche Jungfer, hatte auch schöne Gelegenheiten zu heyrathen« (Mariechen besah sie vom Haupt bis zum Fuß.) »allein keiner war meinem Vater recht. Der war ihm nicht reich genug, der andere nicht vornehm genug, der dritte ging nicht viel in die Kirche.«

Mariechen. Sage, Johann, wie heißen die Leute die nicht in die Kirche gehen?

Johann Stilling. St! Mädchen! Separatisten.

»Gut! was soll mir geschehn, ich sahe wohl, ich würde keinen bekommen, wann ich mir nicht selber hülfe. Da war ein junger Barbiergesell. –«

Mariechen. Was ist das, ein Barbiergesell?

Wilhelm Stilling. Schwesterchen, frag hernach um alles. Laß jetzt nur die Frau reden. Es sind Bursche die den Leuten den Bart abmachen.

»Das bitte ich mir aus, hat sich wohl! Mein Mann konnte, trotz dem besten Doktor, kuriren. Ach ja! viel, viel Kuren that er. Kurz, ich ging mit ihm fort. Wir setzten uns zu Spelterburg. Das liegt am Spafluß.«

Johann Stilling. Ja, da liegt es. Ein paar Meilen herauf, wo die Milder hineinfließt.

»Ja, da liegts. Ich unglückliches Mensch! – Da wurde ich gewahr, daß mein Mann mit gewissen Leuten Umgang hatte.«

Mariechen. Waret ihr schon kopulirt?

»Wer wollte uns kopuliren? lieber Gott! O ja nicht! –« (Mariechen rückte mit ihrem Stuhl ein wenig weiter von der Frauen ab) »Ich wollte es absolut nicht haben, daß mein Mann mit Spitzbuben umging; denn obgleich mein Vater nur ein Schuhflicker war. –« Die Frau packte ihr Kind auf den Nacken, und lief was sie laufen konnte.

Vater Stilling, seine Frau und Kinder, konnten nicht begreifen, warum die Frau mitten in der Erzählung abbrach und davon lief. Es gehörte auch wirklich eine wahre Logik dazu, die Ursachen einzusehen. Ein jeder gab seine Stimme, doch waren alle Ursachen zweifelhaft. Das vernünftigste Urtheil, und zugleich auch das wahrscheinlichste, war wohl, daß der Frauen von dem vielen und ungewohnten Essen etwas übel geworden, und man beruhigte sich auch dabei. Vater Stilling zog aber, seiner Gewohnheit nach, die Lehre aus dieser Erzählung, daß es am besten sey, seinen Kindern Religion und Liebe zur Tugend einzuprägen, und dann im gehörigen Alter ihnen die freie Wahl im Heurathen zu vergönnen, wenn sie nur so wählten, daß die Familie nicht wirklich dadurch geschimpft würde. Ermahnen, sagte er, müssen freilich die Eltern ihre Kinder; allein Zwang hilft nichts mehr, wenn der Mensch sein männliches Alter erreicht hat; er glaubt alsdenn alles so gut zu verstehen als seine Eltern.

Während dieser weisen Rede, wobei alle Anwesenden höchst aufmerksam waren, saß Wilhelm in tiefen Betrachtungen. Er hatte eine Hand an den Backen gelegt, und sahe starr gerade vor sich hin. Hum! sagte er, alles, was die Frau erzählt hat, scheint mir verdächtig. Im Anfang sagte sie, ihr Vater wäre Pastor zu ... zu ...

Mariechen. Zu Holdingen im Barchinger Land.

Ja, da war es. Und am Ende sagte sie, ihr Vater sey ein Schuhflicker gewesen. Alle Anwesende schlugen die Hände zusammen, und entsetzten sich sehr. Nun erkannte man, warum die Frau weggelaufen war; man entschloß sich also, an jeder Thüre und Oefnung im Hause vorsichtige Klinken und Klammern zu machen, und das wird auch niemand der Stillingschen Familie verdenken, wer einigermaßen den Zusammenhang der Dinge einzusehen gelernt hat.

Dortchen redete die ganze Zeit durch nichts. Warum? kann ich eben nicht sagen. Sie säugte ihren Henrich alle Augenblicke, denn das war nun einmal ihr Alles. Der Junge war auch hübsch dick und fett. Die erfahrenste Nachbarinnen konnten schon gleich nach der Geburt in dem Gesichte des Kindes eine völlige Aehnlichkeit mit seinem Vater entdecken. Besonders aber wollte man auch schon auf dem linken obern Augenlied die Grundlage einer künftigen Warze spüren, als welche der Vater daselbst hatte. Dennoch aber mußte eine verborgene Partheilichkeit alle Nachbarinnen zu diesem falschen Zeugniß bewogen haben; denn der Knabe hatte und bekam der Mutter Gesichtszüge und ihr sanftes gefühliges Herz gänzlich.

Vor und nach verfiel Dortchen in eine sanfte Schwermuth. Sie hatte an nichts in der Welt Vergnügen mehr, aber auch an keinem Theile Verdruß. Sie genoß beständig die Wonne der Wehmuth, und ihr zartes Herz schien sich ganz in Thränen zu verwandeln, in Thränen ohne Harm und Kummer. Gieng die Sonne schön auf, so weinte sie, und betrachtete sie tiefsinnig; sprach auch wohl zuweilen: Wie schön muß der seyn, der sie gemacht hat! Gieng sie unter, so weinte sie. Da gehet der tröstliche Freund wieder von uns, sagte sie dann oft, und sehnte sich weit weg in den Wald, zur Zeit der Dämmerung. Nichts aber war ihr rührender, als der Mond; sie fühlte dann was unaussprechliches, und ging ganze Abende unten an dem Geisenberg. Wilhelm begleitete sie fast immer und redete sehr freundlich mit ihr. Sie hatten beide etwas ähnliches in ihrem Charakter. Sie hätten die ganze Welt voll

Menschen missen können, nur eins das andere nicht; dennoch empfanden sie jedes Elend und jeden Druck des Nebenmenschen.

Beinahe anderthalb Jahr war Henrich Stilling alt, als Dortchen an einem Sonntag Nachmittag ihren Mann ersuchte, mit ihr nach dem Geisenberger Schlosse zu spazieren. Noch niemalen hatte ihr Wilhelm etwas abgeschlagen. Er ging mit ihr. So bald sie in den Wald kamen, schlungen sie sich in ihre Arme und gingen Schritt vor Schritt unter dem Schatten der Bäume, und dem vielfältigen Zwitschern der Vögel den Berg hinauf. Dortchen fing an:

»Was meinst du, Wilhelm, sollte man sich wohl im Himmel kennen?«

O ja! liebes Dortchen! Christus sagt ja, von dem reichen Mann, daß er Lazarum in dem Schooße Abrahams gekannt habe, und noch dazu war der reiche Mann in der Hölle; daher glaub ich gewiß, wir werden uns in jener Ewigkeit kennen.

»O Wilhelm! wie sehr freue ich mich, wenn ich daran denke, daß wir dann die ganze Ewigkeit durch ganz ohne Kummer, in lauter himmlischer Lust und Vergnügen werden bei einander seyn! Mich dünkt auch immer, ich könnte im Himmel ohne dich nicht seelig seyn. Ja, lieber Wilhelm! gewiß! gewiß werden wir uns da kennen! Hör einmal, ich wünsche das nun so herzlich! Gott hat ja meine Seele und mein Herz gemacht, das so wünschet; er würde es nicht so gemacht haben, wenn ich unrecht wünschte, und wenn es nicht so wäre! Ja, ich werde dich kennen, und dich unter allen Menschen suchen, und dann werd ich seelig seyn!«

Wir wollen uns bei einander begraben lassen, so brauchen wir nicht lange zu suchen.

»O möchten wir doch in einem Augenblick sterben. Aber wo bliebe dann mein lieber Junge?«

Der würde hier bleiben, und wohl erzogen werden, und endlich zu uns kommen.

»Ich würde aber doch viele Sorge um ihn haben, ob er auch fromm werden würde.«

Höre, Dortchen! du bist schon lange her, so besonders schwermüthig gewesen. Wenn ich die Wahrheit sagen soll, du machst mich mit dir betrübt. Warum bist du so gern mit mir allein! Meine Schwestern glauben, du habest sie nicht lieb.

»Doch liebe ich sie recht von Herzen.«

Du weinst oft, als wenn du mißmuthig wärest; das thut mir dann leid. Ich werde auch traurig. Hast du etwas auf dem Herzen, liebes Kind – das dich quält? Sag es mir. Ich werde dir Ruhe schaffen, es koste auch was es wolle.

»O nein! ich bin nicht mißmuthig, liebes Kind! ich bin nicht unzufrieden. Ich habe dich lieb, ich habe unsere Eltern und Schwestern lieb, ja, ich habe alle Menschen lieb. Aber ich will dir sagen, wie es mir ist. Wenn ich im Frühling sehe, wie alles aufgeht, die Blätter an den Bäumen, die Blumen und die Kräuter, so ist mir, als wenn es mich gar nicht angienge; es ist mir dann, als wenn ich in einer Welt wäre, worinn ich nicht gehörte. Sobald ich aber ein gelbes Blatt, eine verwelkte

Blume, oder dürres Kraut finde, dann werden mir die Thränen los, und mir wird so wohl, so wohl, daß ich es dir nicht sagen kann; und doch bin ich nie freudig dabei. Sonsten machte mich das alles betrübt, und ich war nie fröhlicher, als im Frühling.«

Ich kenne das nicht. So viel aber ist doch wahr, daß es mich recht empfindlich macht.

Indem sie so redeten, kamen sie zu den Ruinen des Schlosses auf die Seite des Berges, und empfanden die kühle Luft vom Rhein her, und sahen wie sie mit den langen dürren Grashalmen und Epheublättern an den zerfallenen Mauren spielte und darum pfiff. Hier ist recht mein Ort, sagte Dortchen, hier müßt ich wohnen. Erzähle mir doch noch einmal die Geschichte vom Johann Hübner, der hier auf dem Schlosse gewohnt hat. Laß uns aber hier auf den Wall gegen die Mauren über sitzen. Ich dürfte um die Welt nicht zwischen den Mauern seyn, wenn du das erzählest, denn ich graue immer, wenn ich's höre. Wilhelm erzählte:

Auf diesem Schlosse haben vor Alters Räuber gewohnt, die gingen des Nachts ins Land umher, stahlen den Leuten das Vieh und trieben es dort in den Hof; da war ein großer Stall; und hernach verkauften sie's weit weg an fremde Leute. Der letzte Räuber, der hier gewohnt hat, hieß Johann Hübner. Er hatte eiserne Kleider an, und war stärker, als alle andere Bursche im ganzen Lande. Er hatte nur ein Auge, und einen großen krausen Bart und Haare. Am Tage saß er mit seinen Knechten, die alle sehr stark waren, dort an der Ecke, wo du noch das zerbrochene Fensterloch siehst; da hatten sie eine Stube, da saßen sie und soffen Bier. Johann Hübner sah mit dem einen Auge sehr weit durchs ganze Land umher. Wenn er dann einen Reuter sahe, da rief er: Hehloh! – da reitet ein Reuter! ein schönes Roß, Hehloh! Und dann gaben sie Acht auf den Reuter, nahmen ihm das Roß und schlugen ihn todt. Da war aber ein Fürst von Dillenburg, der schwarze Christian genannt, ein sehr starker Mann; der hörte immer von Johann Hübners Räubereien; denn die Bauern kamen und klagten über ihn. Dieser schwarze Christian hatte einen klugen Knecht, der hieß Hanns Flick; den schickte er über Land, dem Johann Hübner aufzupassen. Der Fürst aber lag hinten im Giller, den du da siehst, und hielt sich da mit seinen Reutern verborgen; dahin brachten ihm auch die Bauern Brod und Butter und Käse. Hanns Flick kannte den Johann Hübner nicht. Er streifte im Lande herum, und fragte ihn aus. Endlich kam er an eine Schmiede, wo Pferde beschlagen wurden. Da stunden viele Wagenräder an der Wand, die auch beschlagen werden sollten. Auf dieselbe hatte sich ein Mann mit dem Rücken gelehnt, er hatte nur ein Auge und ein eisernes Wams an. Hanns Flick ging bei ihm und sagte: Gott grüß dich, eiserner Wams-Mann mit einem Auge! heißest du nicht Johann Hübner vom Geissenberg? Der Mann antwortete: Johann Hübner vom Geissenberg liegt auf dem Rad. Hanns Flick verstunde das Rad auf dem Gerichtsplatz, und sagte: War das kürzlich? Ja, sprach der Mann, erst heut. Hanns Flick glaubte doch nicht recht, und blieb bey der Schmiede, und gab auf den Mann Acht, der auf dem Rade lag. Der Mann sagte dem Schmidt ins Ohr: Er sollte ihm sein Pferd verkehrt beschlagen, so daß das vorderste Ende des Hufeisens hinten käme. Der Schmidt that es, und Johann Hübner ritt weg. Wie er aufsah, sagte er dem Hanns Flick: Gott grüß dich, braver Kerl! sage deinem Herrn: Er solle mir Fäuste schicken, aber keine Leute die hinter den Ohren lausen. Hanns Flick blieb stehen, und sah, wo er übers Feld in den Wald ritt, lief ihm nach, um zu sehen, wo er bliebe. Er wollte seiner Spur nachgehen, Johann Hübner aber ritt hin und her, die Creuz und Queer, und Hanns Flick wurde bald in den Fußtapfen des Pferdes irre; denn, wo er hingeritten war, da gingen die Fußtapfen zurück; darum verlohr er ihn bald, und wuste nicht, wo er geblieben war. Endlich aber ertappte ihn doch Hanns Flick, wie er mit seinen Knechten dort auf der Heide im Wald lag und geraubt Vieh hütete. Es war in der Nacht am Mondschein. Er lief und sagte es dem Fürsten Christian; der ritt in der Stille mit seinen Kerlen unten durch den Wald. Sie hatten den Pferden Moos unter die Füße gebunden, kamen auch nahe bei ihm, sprangen auf ihn zu, und sie kämpften zusammen. Fürst Christian und Johann Hübner hieben sich auf die eisernen Hüte und Wämsger, daß es klang; endlich aber blieb Johann Hübner todt, und der Fürst zog hier ins Schloß. Den Johann Hübner begruben sie da unten in die Ecke, und der Fürst legte viel Holz um den großen Thurm, auch untergruben sie ihn. Er fiel am Abend um, wie die Tiefenbacher die Kühe molken; das ganze Land zitterte umher von dem Fall. Da siehst du noch den langen Steinhaufen, den Berg hinab; das ist der Thurm, wie er gefallen ist. Noch jetzo spukt hier des Nachts zwischen eilf und zwölf Uhr Johann Hübner mit dem einzigen Auge. Er sitzt auf einem schwarzen Pferd und reitet um den Wall herum. Der alte Neuser, unser Nachbar, hat ihn oft gesehn. Dortchen zitterte, und fuhr zusammen, wenn ein Vogel aus einem Strauch in die Höhe flog. Ich höre die Erzählung noch immer gern, sagte sie; wenn ich hier so sitze, und wenn ich es noch zehnmal höre, so werde ich es doch nicht müde. Laßt uns ein wenig um den Wall spazieren. Sie gingen zusammen um den Wall und Dortchen sang:

Es leuchten drei Sterne über ein Königes Haus.

Drei Jungfräulein wohnten darinn::

Ihr Vater war weit über Land hinaus

Auf ein'm weißen Rösselein.

Sternelein blinzet zu Leide.

Siehst du es, das weiße Rößlein, noch nicht,

Ach Schwesterlein, muthig im Thal?::

Ich seh es, mein's Vaters Rösselein, licht,

Es trabet da muthig im Thal.

Sternelein blinzet zu Leide.

Ich seh es, das Rößlein, mein Vater nicht drauf.

Ach Schwesterlein! Vater ist todt!::

Mein Herzel ist mir es betrübet.

Wie ist mir der Himmel so roth!

Sternelein blinzet zu Leide.

Da trat ein Reuter im blutigen Rock

In's dunkle Kämmerlein klein::

Ach, blutiger Mann, wir bitten dich hoch,

Laß leben uns Jungfräuelein.

Sternelein blinzet zu Leide!

Ihr könnt nicht leben, ihr Jungfräulein zart;

Mein Weiblein frisch und schön::

Erstach mir eu'r Vater im Garten so hart,

Ein Bächlein von Blut floß daher.

Sternelein blinzet zu Leide.

Ich fand ihn, den Mörder, im Walde grün,

Ich nahm ihm sein Rößlein ab::

Und stach ihm das Messer ins Herz;

Er fiel drauf den Felsen herab.

Sternelein blinzet zu Leide!

Auch hatt'st du die liebe Mutter mein

Getödtet am holigen Weg::

Ach, Schwesterlein, lasset uns frölich seyn!

Wir sterben ja wundergern.

Sternelein blinzet zu Leide!

Der Mann nahm ein Messer scharf und spitz,

Und stieß es den Jungfräulein zart::

In ihr betrübtes Herzelein,

Zur Erde fielen sie hart.

Sternelein blinzet zu Leide!

Da fließet ein klares Bächelein hell

Herunter im grünigen Thal::

Fließ krumm herum, du Bächlein hell,

Bis in die weite See!

Sternelein blinzet zu Leide!

Da schlafen die Jungfräulein alle drei

Bis an den jüngsten Tag::

Sie schlafen da in kühliger Erd'

Bis an den jüngsten Tag.

Sternelein blinzet zu Leide!

Nun begann die Sonne unterzugehen, und Dortchen mit ihrem Wilhelm hatten recht die Wonne der Wehmuth gefühlt. Wie sie den Wald hinab gingen, durchdrang ein tödtlicher Schauer Dortchens ganzen Leib. Sie zitterte von einer kalten Empfindung, und es ward ihr sauer Stillings Haus zu erreichen. Sie verfiel in ein hitziges Fieber. Wilhelm war Tag und Nacht bey ihr. Nach vierzehn Tagen sagte sie des Nachts um zwölf Uhr zu Wilhelmen: Komm, lege dich zu Bette. Er zog sich aus, und legte sich zu ihr. Sie faßte ihn in ihren rechten Arm, er lag mit seinem Kopf an ihre Brust. Auf einmal wurde er gewahr, daß das Pochen ihres Pulses nachließ, und dann wieder ein paarmal klopfte. Er erstarrte und rief seelzagend! Mariechen! Mariechen! Alles wurde wacker und lief herzu. Da lag Wilhelm und empfieng Dortchens letzten Athemzug in seinen Mund. Sie war nun todt. Wilhelm war betäubt, und seine Seele wünschte nicht wieder zu sich selbst zu kommen; doch endlich stieg er aus dem Bette, weinte und klagte laut. Selbst Vater Stilling und seine Margrethe gingen zu ihr, und hielten ihr die Augen fest zu, und schluchzeten. Es sah betrübt aus, wie die beiden alten

Grauköpfe naß von Thränen zärtlich auf den verblichenen Engel blickten. Auch die Mädchen weinten laut, und erzählten sich untereinander alle die letzten Worte und Liebkosungen die ihnen ihre seelige Schwägerin gesagt hatte.

Wilhelm Stilling hatte mit seinem Dortchen in der stark bevölkerten Landschaft allein gelebt; nun war sie todt und begraben, und er fand daher, daß er jetzt ganz allein in der Welt lebte. Seine Eltern und Geschwister waren um ihn, ohne daß er sie bemerkte. In dem Gesichte seines verwaiseten Kindes, sahe er nur Dortchens Lineamente; und wenn er des Abends schlafen ging, so fand er sein Zimmer still und öde. Oft glaubte er den rauschenden Fuß Dortchens zu hören, wie sie ins Bette stieg. Er fuhr dann in einander, Dortchen zu sehen, und sah sie nicht. Er durchdachte alle Tage die sie mit einander gelebet hatten, fand in jedem ein Paradies, und verwunderte sich, daß er nicht damalen vor lauter Wonne gejauchzt hatte. Dann nahm er seinen Henrichen in die Arme, weinte ihn naß, drückte ihn an seine Brust, und schlief mit ihm. Dann träumte er oft, wie er mit Dortchen im Geisenberger Wald spaziere, wie er so froh sey, daß er sie wieder habe. Im Traum fürchtete er wacker zu werden, und dennoch erwachte er: seine Thränen wurden dann neu und sein Zustand war trostlos. Vater Stilling sah das alles, und doch tröstete er seinen Wilhelmen niemals. Margarethe und die Mädchen versuchten es oft, aber sie machten nur übel ärger; denn, alles beleidigte Wilhelmen, was nur dahin zielte ihn aus seiner Trauer zu ziehen. Sie konnten aber gar nicht begreifen wie es doch möglich seyn könnte, daß ihr Vater gar keine Mühe anwendete

Wilhelmen aufzumuntern. Sie vereinigten sich daher ihren Vater dazu zu ermahnen, so bald Wilhelm einmal im Geisenberger Wald herumirren, und seines Dortchens Gänge und Fußtritte aufsuchen und beweinen würde. Das that er oft, und daher währete es nicht lange, bis sie Gelegenheit fanden ihr Vorhaben auszuführen. Margarethe nahm es auf sich, so bald der Tisch abgetragen und Wilhelm fort war, Vater Stilling aber an seinen Zähnen stocherte, und grade vor sich hin auf einen Fleck sah. Ebert, sagte sie, warum lässest du den Jungen so herum gehen? du nimmst dich seiner gar nicht an, redest ihm nicht ein wenig zu, sondern thust als wenn er dich gar nichts angienge. Der arme Mensch sollte vor lauter Traurigkeit die Auszehrung bekommen. Margret, antwortete der Alte lächelnd, was meinst du wohl, daß ich ihm sagen könnte, ihn zu trösten? Sag ich ihm, er sollte sich zufrieden geben, sein Dortchen sey im Himmel, sie sey selig: so kommt das eben heraus, als wenn dir jemand alles, was du auf der Welt am liebsten hast, abnähme, und ich käme dann her und sagte: Gieb dich zufrieden! deine Sachen sind ja wohl verwahrt, über sechzig Jahr bekommst du sie ja wieder, es ist ein braver Mann der sie hat u.s.w. Würdest du nicht recht bös auf mich werden und sagen: Wo leb ich aber die sechzig Jahr von? Soll ich Dortchens Fehler all aufzählen, und suchen, ihn zu überreden, er habe nichts so gar kostbares verlohren: so würde ich ihre Seele beleidigen, ein Lügner oder Lästerer seyn, weiter aber nichts ausrichten, als Wilhelmen mir auf immer zum Feinde machen; Er würde alle ihre Tugenden dagegen aufzählen, und ich würde in der Rechnung zu kurz kommen. Soll ich ihm ein anderes Dortchen aufsuchen? Das müste just ein Dortchen seyn, und doch würd es ihm vor ihr eckeln. Ach! es giebt kein Dortchen mehr! – Ihm zitterten die

Lippen und seine Augen waren naß. Nun weinten sie wieder alle, vornehmlich darum, weil ihr Vater weinte.

Bei diesen Umständen war Wilhelm nicht im Stande sein Kind zu versorgen, oder sonst etwas nützliches zu verrichten. Margarethe nahm also ihren Enkel in völlige Verpflegung, futterte und kleidete ihn auf ihre altfränkische Manier aufs reinlichste. Die Mädchen gängelten ihn, lehrten ihn beten und andächtige Reimchen hersagen, und wenn Vater Stilling Samstags Abends aus dem Walde kam und sich bei den Ofen gesetzt hatte, so kam der Kleine gestolpert, suchte auf seine Knien zu klettern, und nahm jauchzend das auf ihn gesparte Butterbrod; mauste auch wohl selbsten im Quersack um es zu finden; es schmeckte ihm besser als sonst der allerbeste Reisbrei Kindern zu thun pfleget, wie wohl es allezeit von der Luft hart und vertrocknet war. Dieses vertrocknete Butterbrod verzehrte Henrich auf seines Großvaters Schos, wobei ihm derselbe entweder das Lied: Gerberli hieß mein Hüneli; oder auch: Reuter zu Pferd, da kommen wir her, vorsang, wobei er immer die Bewegung eines trabenden Pferds mit dem Knie machte. Mit einem Wort! Vater Stilling hatte den Kunstgrif in seiner Kindererziehung, er wuste alle Augenblick eine neue Belustigung für Henrichen, die immer so beschaffen waren, daß sie seinem Alter angemessen, das ist, ihm begreiflich waren; doch so, daß immer dasjenige, was den Menschen ehrwürdig seyn muß, nicht allein nicht verkleinert, sondern gleichsam im Vorbeigang groß und schön vorgestellt wurde. Dadurch gewann der Knabe eine Liebe zu seinem Grosvater die über alles gieng; und daher hatten denn die Begriffe, die er ihm beibringen wollte, Eingang bei ihm. Was ihm sein Grosvater sagte, das glaubte er ohne weiteres Nachdenken.

Die stille Wehmuth Wilhelms verwandelte sich nun vor und nach in eine gesprächige und vertrauliche Traurigkeit. Nun sprach er wieder mit seinen Leuten; ganze Tage redeten sie von Dortchen, sangen ihre Lieder, besahen ihre Kleider, und dergleichen Dinge mehr. Wilhelm fing an ein Wonnegefühl in ihrem Andenken zu empfinden, und einen Frieden zu schmecken der über alles ging, wenn er sich vorstellte, daß über kurze Jahre auch ihn der Tod würde abfordern, wo er denn, ohne einiges Ende zu befürchten, ewig in Gesellschaft seines Dortchens die höchste Glückseligkeit, deren der Mensch nur fähig ist, würde zu geniessen haben. Dieser große Gedanke zog eine ganze Lebensänderung nach sich, wozu folgender Vorfall noch ein großes mit beitrug. Etliche Stunden von Tiefenbach ab, war ein großes adeliches Haus, welches durch eine Erbschaft an einen gewissen Grafen gefallen war. Auf diesem Schloß hatte sich eine Gesellschaft frommer Leute eingepachtet. Sie hatten eine Fabrike von halbseidenen Stoffen unter sich angelegt, wovon sie sich nähreten. Was nun kluge Köpfe waren, die die Moden und den Wohlstand in der Welt kannten, oder mit einem Wort, wohllebende Leute, die hatten gar keinen Geschmack an dieser Einrichtung. Sie wusten, wie schimpflich es in der großen Welt wäre, sich öffentlich zu Jesu Christo zu bekennen, oder Unterredungen zu halten, worinnen man sich ermahnte dessen Lehre und Leben nachzufolgen. Daher waren denn auch diese Leute in der Welt verachtet, und hatten keinen Werth; sogar fanden sich Menschen, die wollten gesehen haben, daß sie auf ihrem Schlosse allerhand Greuel verübten, wodurch dann die Verachtung noch größer wurde. Mehr konnte man sich aber nicht ärgern, als wenn man hörte: daß diese Leute über solche Schmach noch froh waren, und sagten, daß es ihrem

Meister eben so ergangen. Unter dieser Gesellschaft war einer Nahmens Niclas, ein Mensch von ungemeinem Genie und Naturgaben. Er hatte Theologie studiert, dabei aber die Mängel aller Systeme entdeckt, auch öffentlich dagegen geredet und geschrieben; weswegen er ins Gefängniß gelegt, hernach aber daraus wieder befreiet worden, und mit einem gewissen Herrn lange auf Reisen gewesen war. Er hatte sich, um ruhig und frei zu leben, unter diese Leute begeben, und da er von ihrem Handwerck nichts verstund, so trug er ihre verfertigte Zeuge weit umher feil, oder, wie man zu sagen pflegt, er ging damit hausieren. Dieser Niclas war oft in Stillings Hause gewesen; weil er aber wuste, wie feste man daselbst an den Grundsätzen der reformirten Religion und Kirche hinge, so hatte er sich nie herausgelassen; zu dieser Zeit aber, da Wilhelm Stilling anfing aus dem schwärzesten Kummer sich loszuwinden, fand er Gelegenheit mit ihm zu reden. Dieses Gespräch ist wichtig; darum will ich es hier beifügen, so wie mirs Niclas selbsten erzählt hat.

Nachdem sich Niclas gesetzt, fing er an: Wie gehts euch nun Meister Stilling, könnt ihr euch auch in das Sterben eurer Frau schicken?

»Nicht zu wohl! das Herz ist noch so wund daß es blutet; doch fange ich an mehrern Trost zu finden.«

So gehts, Meister Stilling, wenn man mit seinen Begierden sich zu sehr an etwas Vergängliches anfesselt. Und wir sind gewiß glücklicher wenn wir Weiber haben, als hätten wir keine. Wir können sie von Herzen lieben; allein wie nützlich ist es doch auch, wenn man sich übet, auch diesem Vergnügen abzusterben, und es zu verläugnen; gewiß wird uns denn der Verlust nicht so schwer fallen.

»Das läßt sich recht gut predigen, aber thun, thun, leisten, halten, das ist eine andere Sache.«

Niclas lächelte und sagte: Freilich ist es schwer, besonders wenn man ein solches Dortchen gehabt hat; doch aber wenns nur jemand ein Ernst ist, ja wenn nur jemand glaubt, daß die Lehre Jesu Christi zur höchsten Glückseligkeit führet, so wirds einem Ernst. Alsdenn ist es wirklich so schwer nicht, als man sichs vorstellt. Laßt mich euch die ganze Sache kürzlich erklären. Jesus Christus hat uns eine Lehre hinterlassen, die der Natur der menschlichen Seele so angemessen ist, daß sie, wann sie nur befolgt wird, nothwendig vollkommen glücklich machen muß. Wenn wir alle Lehren aller Weltweisen durchgehen, so finden wir eine Menge Regeln, die so zusammenhangen, wie sie sich ihr Lehrgebäude geformt hatten. Bald hinken sie, bald laufen sie, und dann stehen sie still; nur die Lehre Christi, aus den tiefsten Geheimnissen der menschlichen Natur herausgezogen, fehlet nie, und beweiset, dem der es recht einsieht, vollkommen, daß ihr Verfasser den Menschen selber müsse gemacht haben, indem er ihn bis auf den ersten Grundtrieb kannte. Der Mensch hat einen unendlichen Hunger nach Vergnügen, nach Vergnügen, die im Stande sind ihn zu sättigen, die immer was neues ausliefern, die eine unaufhörliche Quelle neuer Vergnügen sind. In der ganzen Schöpfung finden wir keine von solcher Art. Sobald wir ihrer durch den Wechsel der Dinge verlustig werden, so lassen sie eine Quaal zurück, wie ihr zum Exempel bei eurem Dortchen gewahr worden. Dieser göttliche Gesetzgeber wuste, daß der Grund aller menschlichen Handlungen die wahre Selbstliebe sey. Weit davon entfernt, diesen Trieb, der viel Böses anrichten kann, zu verdrängen, so giebt er lauter Mittel an die Hand, denselben zu veredlen und zu verfeinern. Er befiehlt, wir sollen andern das beweisen, was wir wünschen, daß sie uns beweisen sollen; thun wir nun das, so sind wir ihrer Liebe gewiß, sie werden uns wohl thun und viel Vergnügen machen, wenn sie anders keine böse Menschen sind. Er befiehlt, wir sollen die Feinde lieben; so bald wir nun einem Feinde Liebes und Gutes erzeigen, so wird er gewiß auf das äusserste gefoltert, bis er sich mit uns ausgesöhnt hat; wir selbsten aber geniessen bei der Ausübung dieser Pflichten, die uns nur im Anfang ein wenig Mühe kosten, einen innern Frieden, der alle sinnliche Vergnügen weit übertrifft. Ueberdas ist der Stolz eigentlich die Quelle aller unserer gesellschaftlicher Laster, alles Unfriedes, Hasses und Störens der Ruhe. Wider diese Wurzel alles Uebels nun ist kein besser Mittel, als obige Gesetze Jesu Christi. Ich mag mich für jetzo nicht weiter darüber erklären; ich wollte euch nur so viel sagen: daß es wohl der Mühe werth sey, Ernst anzuwenden, der Lehre Christi zu folgen, weil sie uns dauerhafte und wesentliche Vergnügen verschaffet, die uns im Verlust anderer die Wage halten können.

»Sagt mir doch dieses alles vor, Freund Niclas! ich muß es aufschreiben, ich glaube daß es wahr ist, was ihr sagt.«

Niclas wiederholte es von Herzen, und immer mit einem bißgen mehr oder weniger, und Wilhelm schrieb es auf, so wie ers ihm vorsagte.

»Aber, fuhr er fort, wenn wir durch die Nachfolge der Lehre Christi selig werden, wofür ist dann sein Leiden und Sterben? Die Prediger sagen ja, wir könnten die Gebote nicht halten, sondern wir würden nur durch den Glauben an Christum und durch sein Verdienst gerecht und selig.«

Niclas lächelte und sagte: Davon läßt sich all einmal weiter reden. Nehmts nur eine Weile so, daß wie er uns durch sein heiliges reines Leben, da er in der Gnade vor Gott und den Menschen hinwandelte, eine freye Aussicht über unser Leben, über die verworrne Erdhändel verschafft hat, daß wir durch einen Blick auf ihn muthig werden, und offen der Gnade die über uns waltet, zur größern Einfalt des Herzens, mit der man überall durchkommt, so hat er auch, sag ich, sein Kreuz hin in die Nacht des Todes gepflanzt, wo die Sonne untergeht und der Mond sein Licht verliert, daß wir da hinauf blicken, und ein »Gedenke mein!« in demüthiger Hoffnung rufen. So werden wir durch sein Verdienst selig, wenn ihr wollt; denn er hat sich die Freiheit der Seinen vom ewigen Tod scharf und sauer genug verdient, und so werden wir durch den Glauben selig, denn der Glaube ist Seligkeit. Laßt euch indessen das all nicht anfechten, und seyd im Kleinen treu, sonst werdet ihr im Großen nichts ausrichten. Ich will euch ein Paar Blätter hier lassen, die aus dem französischen des Erzbischofs Fenelon übersetzt sind; sie handeln von der Treue in kleinen Dingen; auch will ich euch die Nachfolge Christi des Thomas von Kempis mitbringen, ihr könnt da weiter Nachricht bekommen.

Ich kann nicht eigentlich sagen, ob Wilhelm aus wahrer Ueberführung diese Lehre angenommen, oder ob der Zustand seines Herzens so beschaffen gewesen, daß er ihre Schönheit empfunden, ohne ihre Wahrheit zu untersuchen. Gewiß, wenn ich mit kaltem Blut den Vortrag dieses Niclasens durchdenke, so find ich daß ich nicht alles reimen kann, aber im Ganzen ists doch herrlich und gut.

Wilhelm kaufte von Niclasen einige Ellen Stof, ohne sie nöthig zu haben, und da nahm der gute Prediger sein Bündel auf den Nacken und ging, doch mit dem Versprechen, bald wieder zu kommen; und gewis wird Niclas den ganzen Giller durch Gott recht herzlich für die Bekehrung Wilhelms gedankt haben. Dieser nun fand eine tiefe unwiderstehliche Neigung in seiner Seele, die ganze Welt dran zu geben und mit seinem Kinde oben im Hause auf einer Kammer allein zu wohnen. Seine Schwester Elisabeth wurde an einen Leineweber Simon an seine Stelle ins Haus verheurathet, er aber bezog seine Kammer, schaffte sich einige Bücher an, die ihm von Niclas vorgeschlagen wurden, und so verlebte er daselbst mit seinem Knaben viele Jahre.

Die ganze Beschäftigung dieses Mannes ging während dieser Zeit dahin, mit seinem Schneiderhandwerke seine Bedürfnisse zu erwerben; (denn er gab für sich und sein Kind wöchentlich ein erträgliches Kostgeld ab an seine Eltern) und dann, alle Neigungen seines Herzens, die nicht auf die Ewigkeit abzielten, zu dämpfen; endlich aber auch seinen Sohn in eben den Grundsätzen zu erziehen, die er sich als wahr und festgegründet eingebildet hatte. Des Morgens um vier Uhr stund er auf, und fing an zu arbeiten; um sieben weckte er seinen Henrichen, und beym ersten Erwachen erinnerte er ihn freundlich an die Gütigkeit des Herrn, der ihn die Nacht durch von seinen Engeln bewachen lassen. Danke ihm dafür, mein Kind! sagte Wilhelm, indem er den Knaben ankleidete. War dieses geschehen, so muste er sich in kaltem

Wasser waschen, und dann nahm ihn Wilhelm bei sich, schloß die Kammer zu, und fiel mit ihm vor dem Bette auf die Kniee, und betete mit der größten Inbrunst des Geistes zu Gott, wobei ihm die Thränen oft häufig zur Erde flossen. Dann bekam der Junge sein Frühstück, welches er mit einem Anstand und Ordnung verzehren muste, als wenn er in Gegenwart eines Prinzen gespeiset hätte. Nun muste er ein kleines Stück im Catechismus lesen, und vor und nach auswendig lernen; auch war ihm erlaubt, alte anmuthige und einem Kinde begreifliche Geschichten, theils geistliche, theils weltliche, zu lesen, als da war: der Kaiser Oktavianus mit seinen Weib und Söhnen; die Historie von den vier Haymons Kindern; die schöne Melusine und dergleichen. Wilhelm erlaubte niemalen dem Knaben mit andern Kindern zu spielen, sondern er hielt ihn so eingezogen, daß er im siebenten Jahr seines Alters noch keine Nachbars Kinder, wohl aber eine ganze Reihe schöner Bücher kannte. Daher kam es denn, daß seine ganze Seele anfing sich mit Idealen zu belustigen; seine Einbildungskraft ward erhöht, weil sie keine andere Gegenstände bekam, als idealische Personen und Handlungen. Die Helden alter Romanzen, deren Tugenden übertrieben geschildert wurden, setzten sich unvermerkt, als so viel nachahmungswürdige Gegenstände in sein Gemüth feste, und die Laster wurden ihm zum größesten Abscheu; doch aber, weil er beständig von Gott und frommen Menschen reden hörte, so wurde er unvermerkt in einen Gesichtspunkt gestellt, aus dem er alles beobachtete. Das erste wornach er fragte, wenn er von jemand etwas las oder reden hörte, bezog sich auf seine Gesinnung gegen Gott und Christum. Daher, als er einmal Gottfried Arnolds Leben der Altväter bekam, konnte er gar nicht mehr aufhören zu lesen, und dieses Buch, nebst Reizens Historie der Wiedergebohrnen, blieb sein bestes Vergnügen in der Welt, bis ins zehnte Jahr seines Alters; aber alle diese Personen, deren Lebensbeschreibungen er las, blieben so fest in seiner Einbildungskraft idealisirt, daß er sie nie in seinem Leben vergessen hat.

Am Nachmittag, von zwo bis drei Uhr, oder auch etwas länger, lies ihn Wilhelm in den Baumhof und Geisenberger Wald spatzieren; er hatte ihm daselbst einen Distrikt angewiesen, den er sich zu seinen Belustigungen zueignen, aber über welchen er nicht weiter ohne Gesellschaft seines Vaters hinausgehen durfte. Diese Gegend war nicht größer, als Wilhelm aus seinem Fenster übersehen konnte, damit er ihn nie aus den Augen verlieren möchte. War denn die gesetzte Zeit um, oder wenn sich auch ein Nachbars Kind Henrichen von weiten näherte, so pfif Wilhelm, und auf dieses Zeichen war er den Augenblick wieder bei seinem Vater.

Diese Gegend, Stillings Baumhof und ein Strich Waldes, der an den Hof gränzte, wurde von unserm jungen Knaben also täglich bei gutem Wetter besucht, und zu lauter idealischen Landschaften gemacht. Da war eine egyptische Wüste, in welcher er einen Strauch zur Höle umbildete, in welche er sich verbarg und den heiligen Antonius vorstellte, betete auch wohl in diesem Enthusiasmus recht herzlich. In einer andern Gegend war der Brunn der Melusine; dort war die Türkei, wo der Sultan und seine Tochter, die schöne Marcebilla, wohnten; da war auf einem Felsen das Schloß Montalban, in welchem Reinold wohnte u.s.w. Nach diesen Oertern wallfahrte er täglich, kein Mensch kann sich die Wonne einbilden die der Knabe daselbst genoß; sein

Geist floß über, er stammelte Reimen und hatte dichterische Einfälle. So war die Erziehung dieses Kindes beschaffen bis ins zehnte Jahr. Eins gehört noch hierzu. Wilhelm war sehr scharf; die mindeste Uebertretung seiner Befehle bestrafte er aufs schärfeste mit der Ruthe. Daher kam zu obigen Grundlagen eine gewisse Schüchternheit in des jungen Stillings Seele, und aus Furcht für den Züchtigungen suchte er seine Fehler zu verhelen und zu verdecken, so daß er sich nach und nach zum Lügen verleiten ließ; eine Neigung die ihm zu überwinden bis in sein zwanzigstes Jahr viele Mühe gemacht hat. Wilhelms Absicht war, seinen Sohn beugsam und gehorsam zu erziehen, um ihn zu Haltung göttlicher und menschlicher Gesetze fähig zu machen; und eine gewissenhafte Strenge führte, däuchte ihn, den nächsten Weg zum Zwecke; und da konnte er gar nicht begreifen, woher es doch käme, daß seine Seligkeit, die er an den schönen Eigenschaften seines Jungens genoß, durch das Laster der Lügen, auf welchem er ihn oft ertappte, so häßlich versalzen würde. Er verdoppelte seine Strenge, besonders wo er eine Lüge gewahr wurde; allein er richtete dadurch weiter nichts aus, als daß Henrich alle erdenkliche Kunstgriffe anwendete seine Lügen wahrscheinlicher zu machen; und so wurde denn doch der gute Wilhelm betrogen. Sobald merkte der Knabe nicht daß es ihm gelung, so freute er sich und dankte noch wohl Gott, daß er ein Mittel gefunden, einem Strafgericht zu entgehen. Doch muß ich auch dieses zu seiner Ehrenrettung sagen; er log nicht, als nur dann, wann er Schläge damit abwenden konnte.

Der alte Stilling sah alles dieses ganz ruhig an. Die strenge Lebensart seines Sohnes beurtheilte er nie; lächelte aber wohl zuweilen und schüttelte die grauen Locken, wann er sah, wie Wilhelm nach der

Ruthe grif, weil der Knabe etwas gegessen oder gethan hatte, das gegen seinen Befehl war. Dann sagte er auch wohl in Abwesenheit des Kindes: Wilhelm! wer nicht will, daß seine Gebote häufig übertreten werden, der muß nicht viel befehlen. Alle Menschen lieben die Freiheit. – Ja, sagte Wilhelm dann, so wird mir aber der Junge eigenwillig. Verbeut du ihm, erwiederte der Alte, seine Fehler, wann er sie eben begehen will, und unterrichte ihn warum; hast du es aber vorhin verboten, so vergißt der Knabe die vielen Gebote und Verbote, fehlt immer, du aber must dein Wort handhaben, und so giebts immer Schläge. Wilhelm erkannte dieses, und ließ vor und nach die mehresten Regeln in Vergessenheit kommen; er regierte nun nicht mehr so sehr nach Gesetzen, sondern ganz monarchisch; er gab seinen Befehl immer wenns nöthig war, richtete ihn nach den Umständen ein, und nun wurde der Knabe nicht mehr so viel gezüchtigt, seine ganze Lebensart wurde in etwas aufgeweckter, freier und edler.

Henrich Stilling wurde also ungewöhnlich erzogen, ganz ohne Umgang mit andern Menschen; er wuste daher nichts von der Welt, nichts von Lastern, er kannte gar keine Falschheit und Ausgelassenheit; beten, lesen und schreiben war seine Beschäftigung; sein Gemüth war also mit wenigen Dingen angefüllt; aber alles was darinn war, war so lebhaft, so deutlich, so verfeinert und veredelt, daß seine Ausdrücke, Reden und Handlungen sich nicht beschreiben lassen. Die ganze Familie erstaunte über den Knaben, und der alte Stilling sagte oft: Der Junge entfleugt uns, die Federn wachsen ihm größer, als je einer in unserer Freundschaft gewesen; wir müssen beten, daß ihn Gott mit seinem guten Geist regieren wolle. Alle Nachbarn, die wohl in Stillings Hause kamen, und den Knaben sahen, verwunderten sich; denn sie verstunden nichts von allem was er sagte, ob er gleich gut deutsch redete. Unter andern kam einmal Nachbar Stähler hin, weilen er von Wilhelmen ein Camisol gemacht haben wollte; doch war wohl seine Hauptabsicht dabei, unter der Hand sein Mariechen zu versorgen; denn Stilling war im Dorf angesehen, und Wilhelm war fromm und fleißig. Der junge Henrich mochte acht Jahr alt seyn; er saß in einem Stuhl und las in einem Buch, sah seiner Gewohnheit nach ganz ernsthaft, und ich glaube nicht, daß er zu der Zeit noch in seinem Leben stark gelacht hatte. Stähler sah ihn an und sagte: Henrich was machst du da?

»Ich lese.«

Kannst du denn schon lesen?

Henrich sah ihn an, verwunderte sich und sprach: Das ist ja eine dumme Frage, ich bin ja ein Mensch. – Nun las er hart, mit Leichtigkeit, gehörigem Nachdruck und Unterscheidung. Stähler entsetzte sich und sagte: Hol' mich der T ... so was hab ich mein lebtag nicht gesehn. Bei diesem Fluch sprang Henrich auf, zitterte und sah schüchtern um sich; wie er endlich sah, daß der Teufel ausblieb, rief er: Gott, wie gnädig bist du! – trat darauf vor Stählern und sagte: Mann! habt ihr den Satan gesehen? Nein, antwortete Stähler. So ruft ihm nicht mehr, versetzte Henrich, und ging in eine andere Kammer.

Das Gerücht von diesem Knaben erscholl weit umher; alle Menschen redeten von ihm und verwunderten sich. Selbst der Pastor Stollbein wurde neugierig ihn zu sehen. Nun war Henrich noch nie in der Kirche gewesen, hatte daher auch noch nie einen Mann mit einer großen weissen Perücke und feinen schwarzen Kleide gesehen. Der Pastor kam nach Tiefenbach hin, und weil er vielleicht eh in ein ander Haus gegangen war, so wurde seine Ankunft in Stillings Hause vorhin ruchtbar, wie auch warum er gekommen war. Wilhelm unterrichtete seinen Henrichen also, wie er sich betragen müste, wenn der Pastor käme. Er kam dann endlich, und mit ihm der alte Stilling. Henrich stund an der Wand grad auf, wie ein Soldat der das Gewehr präsentirt; in seinen gefaltenen Händen hielt er seine aus blauen und grauen tuchenen Lappen zusammen gesetzte Mütze, und sah dem Pastor immer starr in die Augen. Nachdem sich Herr Stollbein gesetzt, und ein und ander Wort mit Wilhelmen geredet hatte, drehte er sich gegen die Wand, und sagte: Guten Morgen Henrich! –

»Man sagt guten Morgen sobald man in die Stube kommt.«

Stollbein merkte mit wem er's zu thun hatte, daher drehte er sich mit seinem Stuhl neben ihn und fuhr fort: Kannst du auch den Catechismus?

»Noch nicht all.«

Wie noch nicht all, das ist ja das erste was die Kinder lernen müssen.

»Nein, Pastor, das ist nicht das erste; Kinder müssen erst beten lernen, daß ihnen Gott Verstand geben möge, den Catechismus zu begreifen.«

Herr Stollbein war schon im Ernst ärgerlich, und eine scharfe Strafpredigt an Wilhelmen war schon ausstudirt; doch diese Antwort machte ihn stutzig. Wie betest du denn? fragte er ferner.

»Ich bete: lieber Gott! gieb mir doch Verstand, daß ich begreifen kann, was ich lese.«

Das ist recht, mein Sohn, so bete fort!

»Ihr seyd nicht mein Vater.«

Ich bin dein geistlicher Vater.

»Nein, Gott ist mein geistlicher Vater; ihr seyd ein Mensch ein Mensch kann kein Geist seyn.«

Wie, hast du denn keinen Geist, keine Seele?

»Ja freylich! wie könnt ihr so einfältig fragen? Aber ich kenne meinen Vater.«

Kennst du denn auch Gott, deinen geistlichen Vater?

Henrich lächelte. »Sollte ein Mensch Gott nicht kennen?«

Du kannst ihn ja doch nicht sehen.

Henrich schwieg, und hohlte seine wohlgebrauchte Bibel, und wies dem Pastor den Spruch Röm. I.V. 19. und 20.

Nun hatte Stollbein genug. Er hieß den Knaben hinaus gehen, und sagte zu dem Vater: Euer Kind wird alle seine Voreltern übertreffen;

fahret fort, ihn wohl unter der Ruthe zu halten; der Junge wird ein großer Mann in der Welt.

Wilhelm hatte noch immer seine Wunde über Dortchens Tod; er seufzte noch beständig um sie. Nunmehr nahm er auch zuweilen seinen Knaben mit nach dem alten Schloß, zeigte ihm seiner verklärten Mutter Tritte und Schritte, alles was sie hier und da geredet und gethan hatte. Henrich verliebte sich so in seine Mutter, daß er alles was er von ihr hörte, in sein eignes verwandelte, welches Wilhelmen so wohl gefiel, daß er seine Freude nicht bergen konnte.

Einsmals an einem schönen Herbstabend gingen unsere beyde Liebhaber des selgen Dortchens in den Ruinen des Schlosses herum, und suchten Schneckenhäuschen, die daselbst sehr häufig waren. Dortchen hatte daran ihre größte Belustigung gehabt. Henrich fand neben einer Mauer unter einem Stein ein Zulegmesserchen mit gelben Buckeln und grünen Stiel. Es war noch gar nicht rostig, theils, weil es am Trocknen lag, theils weil es so bedeckt gelegen, daß es nicht drauf regnen konnte. Henrich war froh über diesen Fund, lief zu seinem Vater und zeigte es ihm. Wilhelm besah es, wurde blaß, fing an zu schluchsen und zu heulen. Henrich erschrack, ihm stunden auch schon die Thränen in den Augen, ohne zu wissen warum; auch durfte er nicht fragen. Er drehte das Messer herum, und sah daß auf der Klinge mit Etzwasser geschrieben stund, Johanna Dorothea Catharina Stillings. Er schrie laut, und lag da wie ein Todter. Wilhelm hörte sowohl das Lesen des Nahmens, als auch den lauten Schrey; er setzte sich neben den Knaben, schüttelte an ihm, und suchte ihn wieder zurechte zu bringen. Indem er damit beschäftiget war, wurd ihm wohl in seiner Seele; er fand sich getröstet; er nahm den Knaben in seine Arme, drückte ihn an seine Brust, und empfand ein Vergnügen das über alles ging. Er nahete sich zu Gott wie zu seinem Freund, und meinte bis in die Herrlichkeit des Himmels aufgezogen zu seyn und Dortchen unter den Engeln zu sehen. Indeß kam Henrich wieder zu sich, und fand sich in seines Vaters Armen. Er wußte sich nicht zu besinnen, daß ihn sein Vater jemals in den Armen gehabt. Seine ganze Seele wurde durchdrungen, Thränen der stärksten Empfindung flossen über seine schneeweisse volle Wangen herab. Vater, habt ihr mich lieb? – fragte er. Niemals hatte Wilhelm mit seinem Kinde weder gescherzt noch getändelt; daher wuste der Knabe von keinem andern Vater als einem ernsthaften und strengen Mann, den er fürchten und verehren muste. Wilhelms Kopf sank Henrichen auf die Brust; er sagte: ja! und weinte laut. Henrich war ausser sich, und eben im Begriff wieder ohnmächtig zu werden; doch der Vater stund plötzlich auf und stellte ihn auf die Füße. Kaum konnt' er stehen. Komm, sagte Wilhelm, wir wollen ein wenig herumgehen. Sie suchten das Messer, konnten es aber gar nicht wieder finden; es war ganz gewiß zwischen den Steinen tief hinab gefallen. Sie suchten lange, aber sie fundens nicht. Niemand war trauriger als Henrich; doch der Vater führte ihn weg und redete folgendes mit ihm.

Mein Sohn! du bist nun bald neun Jahr alt. Ich hab dich gelehrt und unterrichtet so gut ich gekonnt habe; du hast nun bald so viel Verstand, daß ich vernünftig mit dir reden kann. Du hast noch vieles in der Welt vor dir, und ich selber bin noch jung. Wir werden unser Leben auf unserer Kammer nicht beschliessen können; wir müssen wieder mit Menschen umgehen; ich will wiederum Schule halten, und du sollst mit mir gehen und ferner lernen. Befleißige dich auf alles wozu du Lust hast, es soll dir an Büchern nicht fehlen; doch aber, damit du etwas gewisses habest, womit du dein Brod erwerben könnest, so must du mein Handwerk lernen. Wird dich denn der liebe Gott in einen bessern Beruf setzen, so hast du Ursach ihm zu danken; niemand wird dich verachten, daß du mein Sohn bist, und wenn du auch ein Fürst würdest. Henrich empfand Wonne über seines Vaters Vertraulichkeit; seine Seele wurde unendlich erweitert; er fühlte eine so sanfte unbezwingbare Freyheit, dergleichen sich nicht vorstellen läßt, mit einem Wort, er empfand jetzt zum erstenmal, daß er ein Mensch war. Er sah seinen Vater an, und sagte: Ich will alles thun, was ihr haben wollt. Wilhelm lächelte ihn an, und fuhr fort: Du wirst glücklich seyn; nur must du nie vergessen mit Gott vertraulich umzugehen; der wird dich alsdenn in seinen Schutz nehmen und dich für allem Bösen bewahren. Unter diesen Gesprächen kamen sie wieder nach Haus und auf ihre Kammer. Von dieser Zeit an schien Wilhelm ganz verändert; sein Herz war wieder geöfnet worden, und seine frommen Gesinnungen hinderten ihn nicht unter die Leute zu gehn. Alle Menschen, auch die wildesten, empfanden Ehrfurcht in seiner Gegenwart; denn sein ganzer Mensch hatte in der Einsamkeit einen unwiderstehlichen, sanften Ernst angenommen, aus dem eine reine einfältige Seele hervorblickte. Oefters nahm er auch seinen Sohn mit, zu dem er eine ganz neue, warme Liebe spürte. Beym Finden des Messers war er Dortchens ganzen Charakter an dem Knaben gewahr geworden; es war sein und Dortchens Sohn; und über diesen Aufschluß stürzte alle seine Neigung auf Henrichen, und er fand Dortchen in ihm wieder.

Nun führte Wilhelm seinen Henrichen zum erstenmal in die Kirche. Er erstaunte über alles was er sah; sobald aber die Orgel anfing zu gehen, da wurde seine Empfindung zu mächtig, er bekam gelinde Zückungen; eine jede sanfte Harmonie zerschmolz ihn, die Molltöne machten ihn in Thränen fliessen, und das rasche Allegro machte ihn aufspringen. Wie erbärmlich auch sonst der gute Organist sein Handwerk verstund, so war es doch Wilhelmen unmöglich seinen Sohn davon abzubringen, nicht nach geendigter Predigt den Organisten und seine Orgel zu sehen. Er sah sie, und der Virtuose spielte ihm zu Gefallen ein Andante, welches vielleicht das erstemal in der Florenburger Kirche war, daß dieses einem Baurenjungen zu Gefallen geschah.

Nun sah auch Henrich zum erstenmal seiner Mutter Grab. Er wünschte nur ihre noch übrige Gebeine zu sehen; da das aber nicht geschehen konnte, so setzte er sich auf den Grabeshügel, pflückte einige Herbstblumen und Kräuter auf demselben, steckte sie vor sich in seine Knopflöcher und ging weg. Er empfand hier nicht so viel als bei Findung des Messers; doch hatte er sich, nebst seinem Vater, die Augen roth geweint. Jener Zufall war plötzlich und unerwartet, dieser aber vorbedächtlich überlegt; auch war die Empfindung der Kirchenmusik noch allzu stark in seinem Herzen.

Der alte Stilling bemerkte nun auch die Beruhigung seines Wilhelms. Mit innigem Vergnügen sahe er alle das Gute und Liebe an ihm und seinem Kinde; er wurde dadurch noch mehr aufgeheitert und fast verjüngt.

Als er einsmal im Frühling auf einen Montag Morgen nach dem Walde zu seiner Handthierung ging, ersuchte er Wilhelmen ihm seinen Enkel mitzugeben. Dieser gab es zu, und Henrich freute sich zum höchsten. Wie sie den Giller hinauf gingen, sagte der Alte: Henrich, erzähl uns einmal die Historie von der schönen Melusine; ich höre so gern alte Historien; so wird uns die Zeit nicht lang. Henrich erzählte sie ganz umständlich mit der größten Freude. Vater Stilling stellte sich, als wenn er über die Geschichte ganz erstaunt wäre, und als wenn er sie in allen Umständen wahr zu seyn glaubte. Dies muste aber auch geschehen, wenn man Henrichen nicht ärgern wollte; denn er glaubte alle diese Historien so fest als die Bibel. Der Ort, wo Stilling Kohlen brannte, war drei Stunden von Tiefenbach; man ging beständig bis dahin im Wald. Henrich, der alles idealisirte, fand auf diesem ganzen Wege lauter Paradies; alles war ihm schön und ohne Fehler. Eine recht düstere Maybuche, die er in einiger Entfernung vor sich sah, mit ihrem schönen grünen Licht und Schatten, machte einen Eindruck auf ihn; alsofort war die ganze Gegend ein Ideal und himmlisch schön in seinen Augen. Sie gelangten dann endlich auf einem sehr hohen Berg zum Arbeitsplatz. Die mit Rasen bedeckte Köhlershütte fiel dem jungen Stilling sogleich in die Augen; er kroch hinein, sah das Lager von Moos und die Feuerstätten zwischen zween rauhen Steinen, freute sich und jauchzte. Während der Zeit, daß der Großvater arbeitete, ging er im Wald herum, und betrachtete alle Schönheiten der Gegend und der Natur; alles war ihm neu und unaussprechlich reizend. An einem Abend, wie sie des andern Tages wieder nach Hause wollten, saßen sie vor der Hütte, da eben die Sonne untergegangen war. Großvater! sagte Henrich, wann ich in den Büchern lese, daß die Helden so weit zurück haben rechnen können, wer ihre Voreltern gewesen, so wünsch ich daß ich auch wüste, wer meine Voreltern gewesen sind. Wer weis, ob wir nicht auch von einem Fürsten oder großen Herrn herkommen. Meiner Mutter Vorfahren sind alle Prediger gewesen, aber die eurigen weis ich noch nicht; ich will sie mir alle aufschreiben, wenn ihr sie mir sagt. Vater Stilling lächelte, und antwortete: wir kommen wohl schwerlich von einem Fürsten her; das ist mir aber auch ganz einerlei; du must das auch nicht wünschen. Deine Vorfahren sind alle ehrbare fromme Leute gewesen; es giebt wenig Fürsten die das sagen können. Laß' dir das die größte Ehre in der Welt seyn, daß dein Großvater, Urgroßvater und ihre Väter alle Männer waren, die zwar ausser ihrem Hause nichts zu befehlen hatten, doch aber von allen Menschen geliebt und geehrt wurden. Keiner von ihnen hat sich auf unehrliche Art verheurathet, oder sich mit einer Frauensperson vergangen; keiner hat jemahls begehrt, das nicht sein war; und alle sind großmüthig gestorben in ihrem höchsten Alter. Henrich freute sich und sagte: ich werde also alle meine Voreltern im Himmel finden? Ja, erwiederte der Großvater, das wirst du; unser Geschlecht wird daselbst grünen und blühen. Henrich! erinnre dich an diesen Abend so lang du lebst. In jener Welt sind wir von großem Adel; verlier diesen Vorzug nicht! Unser Segen wird auf dir ruhen, so lange du fromm bist; wirst du gottlos werden und deine Eltern verachten, so werden wir dich in der Ewigkeit nicht kennen. Henrich fing an zu weinen, und sagte: Seyd dafür nicht bang, Großvater! ich werde fromm und froh seyn, daß ich Stilling heisse. Erzählet mir aber, was ihr von unsern Voreltern wisset. Vater Stilling erzählte: Meines Urgroßvaters Vater hieß Ulli Stilling. Er war ohngefähr Anno 1500 gebohren. Ich weiß aus alten Briefen, daß er nach

Tiefenbach gekommen, wo er im Jahr 1530 Hans Stählers Tochter geheurathet. Er ist aus der Schweiz hergekommen, und mit Zwinglius bekannt gewesen. Er war ein sehr frommer Mann, auch so stark, daß er einsmalen fünf Räubern seine vier Kühe wieder abgenommen, die sie ihm gestohlen hatten. Anno 1536 bekam er einen Sohn, der hieß Reinhard Stilling; dieser war mein Urgroßvater. Er war ein stiller eingezogener Mann, der jedermann Gutes that; er heurathete im 50sten Jahr eine ganz junge Frau, mit der er viele Kinder hatte; in seinem 60sten Jahr gebahr ihm seine Frau einen Sohn, den Henrich Stilling, der mein Großvater gewesen. Er war 1596 gebohren, er wurde 101 Jahr alt, daher hab ich ihn noch eben gekannt. Dieser Henrich war ein sehr lebhafter Mann, kaufte sich in seiner Jugend ein Pferd, wurde ein Fuhrmann und fuhr nach Braunschweig, Brabant und Sachsen. Er war ein Schirrmeister, hatte gemeiniglich 20 bis 30 Fuhrleute bei sich. Zu der Zeit waren die Räubereyen noch sehr im Gange, und noch wenig Wirthshäuser an den Strassen; daher nahmen die Fuhrleute Proviant mit sich. Des Abends stellten sie die Karren in einen Kreis herum, so daß einer an den andern stieß, die Pferde stellten sie mitten ein, und mein Großvater mit den Fuhrleuten waren bei ihnen. Wann sie dann gefüttert hatten, so rief er: Zum Gebet, ihr Nachbarn! dann kamen sie alle, und Henrich Stilling betete sehr ernstlich zu Gott. Einer von ihnen hielt die Wache, und die anderen krochen unter ihre Karren an's Trockne, und schliefen. Sie führten aber immer scharf geladen Gewehr und gute Säbel bey sich. Nun trug es sich einmal zu, daß mein Großvater selbst die Wache hatte; sie lagen im Hessenland auf einer Wiesen, ihrer waren sechs und zwanzig starke Männer. Gegen eilf Uhr des Abends hörte er einige Pferde auf der Wiese reiten; er weckte in der

Stille alle Fuhrleute und stund hinter seinem Karren. Henrich Stilling aber lag auf seinen Knien, und betete bei sich selbst ernstlich. Endlich stieg er auf seinen Karren, und sah umher. Es war genug Licht, so, daß der Mond eben untergehen wollte. Da sah er ungefähr zwanzig Männer zu Pferd, wie sie abstiegen und leise auf die Karren losgingen. Er kroch wieder herab, ging unter die Karre, damit sie ihn nicht sähen; gab aber wohl Acht was sie anfingen. Die Räuber gingen rund um die Wagenburg herum, und als sie keinen Eingang fanden, fingen sie an, an einem Karren zu ziehen. Stilling, sobald er das sah, rief: im Namen Gottes schießt! Ein jeder von den Fuhrleuten hatte den Hahnen aufgezogen und schossen unter den Karren heraus, so daß der Räuber sofort sechse niedersunken; die andern Räuber erschracken, zogen sich ein wenig zurück und redeten zusammen. Die Fuhrleute luden wieder ihre Flinten; nun sagte Stilling, gebt Acht, wenn sie wieder näher kommen, denn schießt! sie kamen aber nicht, sondern ritten fort. Die Fuhrleute spannten mit Tages Anbruch wieder an, und fuhren weiter; ein jeder trug seine geladne Flinte und seinen Degen, denn sie waren nicht sicher. Des Vormittags sahen sie aus einem Wald wieder einige Reuter auf sie zureiten. Stilling fuhr zuförderst, und die andern alle hinter ihm her. Da rief er: Ein jeder hinter seinen Karren, und den Hahnen gespannt! Die Reuter hielten stille; der vornehmste unter ihnen ritt allein auf sie zu, ohne Gewehr, und rief: Schirrmeister, hervor! Mein Großvater trat hervor, die Flinte in der Hand und den Degen unterm Arm. Wir kommen als Freunde, rief der Reuter. Henrich traute nicht und stund da. Der Reuter stieg ab, bot ihm die Hand und sagte: Seyd ihr verwichene Nacht von Räubern angegriffen worden? Ja, antwortete mein Großvater, nicht weit von Hirschfeld auf einer Wiese.

Recht so, antwortete der Reuter, wir haben sie verfolgt, und kamen eben bei der Wiese an, wie sie fortjagten und ihr einigen das Licht ausgeblasen hattet; ihr seyd wackre Leute. Stilling fragte, wer er wäre? der Reuter antwortete: Ich bin der Graf von Wittgenstein, ich will euch zehn Reuter zum Geleit mitgeben, denn ich habe doch Mannschaft genug dort hinten im Walde bei mir. Stilling nahms an, und accordirte mit dem Grafen, wie viel er ihm jährlich geben sollte, wenn er ihn immer durchs Heßische geleitete. Der Graf gelobts ihm, und die Fuhrleute fuhren nach Hause. Dieser mein Großvater hatte im zwei und zwanzigsten Jahr geheurathet, und im 24sten, nemlich 1620 bekam er einen Sohn, Hanns Stilling, dieser war mein Vater. Er lebte ruhig, wartete seines Ackerbaues und diente Gott. Er hatte den ganzen dreyßigjährigen Krieg erlebt, und war öfters in die äusserste Armuth gerathen. Er hat zehn Kinder gezeugt, unter welchen ich der jüngste bin. Ich wurde 1680 gebohren, eben da mein Vater 60 Jahr alt war. Ich habe, Gott sey Dank! Ruhe genossen und mein Gut wiederum von allen Schulden befreyet. Mein Vater starb 1704, im 104ten Jahr seines Alters; ich hab ihn wie ein Kind verpflegen müssen, und liegt zu Florenburg bei seinen Voreltern begraben.

Henrich Stilling hatte mit größter Aufmerksamkeit zugehöret. Nun sprach er: Gott sey Dank, daß ich solche Eltern gehabt habe! Ich will sie alle nett aufschreiben, damit ichs nicht vergesse. Die Ritter nennen ihre Voreltern Ahnen, ich will sie auch meine Ahnen heissen. Der Großvater lächelte und schwieg.

Des andern Tages gingen sie wieder nach Hause, und Henrich schrieb alle die Erzählung in ein altes Schreibbuch, das er umkehrte, und die hinten weiß gebliebene Blätter mit seinen Ahnen vollpfropfte.

Mir werden die Thränen los, da ich dieses schreibe. Wo seyd ihr doch hingeflohen, ihr selge Stunden? Warum bleibt nur euer Andenken dem Menschen übrig! Welche Freude überirrdischer Fülle schmeckt der gefühlige Geist der Jugend! Es giebt keine Niedrigkeit des Standes, wenn die Seele geadelt ist. Ihr meine Thränen, die mein durchbrechender Geist herauspreßt, sagts jedem guten Herzen, sagts ohne Worte, was ein Mensch sey, der mit Gott seinem Vater bekannt ist, und all seine Gaben in ihrer Größe schmeckt!

Henrich Stilling war die Freude und Hoffnung seines Hauses; denn ob gleich Johann Stilling einen ältern Sohn hatte, so war doch niemand auf denselben sonderlich aufmerksam. Er kam oft, besuchte seine Großeltern, aber wie er kam, so ging er auch wieder. Eine seltsame Sache! – Eberhard Stilling war doch warlich nicht partheyisch. Doch was halt ich mich hierbei auf? Wer kann davor, wenn man einen Menschen vor dem andern mehr oder weniger lieben muß? Pastor Stollbein sah wohl, daß unser Knabe etwas werden würde, wenn man nur was aus ihm machte; daher kam es bei einer Gelegenheit, da er in Stillings Hause war, daß er mit dem Vater und Großvater von dem Jungen redete, und ihnen vorschlug, Wilhelm sollte ihn Latein lernen lassen. Wir haben ja zu Florenburg einen guten lateinischen Schulmeister; schickt ihn hin, es wird wenig kosten. Der alte Stilling saß am Tisch, kaute an einem Spänchen; so pflegte er wohl zu thun wenn er Sachen von Wichtigkeit überlegte. Wilhelm legte den eisernen

Fingerhut auf den Tisch, schlug die Arme vor der Brust über einander und überlegte auch. Margrethe hatte die Hände auf dem Schooß gefalten, knickelte mit den Daumen gegen einander, blinzte gegen über auf die Stubenthüre und überlegte auch. Henrich aber saß, mit seiner wollenen Lappmütze in der Hand, auf einem kleinen Stuhl, und überlegte nicht, sondern wünschte nur. Stollbein saß auf einem Lehnstuhl, eine Hand auf dem Knopf des Rohrstabes und die andere in der Seiten, und wartete der Sachen Ausschlag. Lange schwiegen sie, endlich sagte der Alte: Nu, Wilhelm, es ist dein Kind; was meinst du?

»Vater, ich weiß nicht woher ich die Kosten bestreiten soll.«

Ist das deine schwerste Sorge, Wilhelm? Wird dir dein lateinischer Junge auch noch Freude machen? da sorg nur!

»Was Freude! sagte der Pastor; mit eurer Freude! Hier ist die Frage, ob ihr was rechts aus dem Knaben machen wollt, oder nicht. Soll was rechts aus ihm werden, so muß er Latein lernen, wo nicht so bleib er ein Lümmel wie –«

Wie seine Eltern, sagte der alte Stilling.

»Ich glaube ihr wollt mich foppen, versetzte der Prediger.«

Nein, Gott bewahr uns! erwiederte Eberhard, nehmt mir nicht übel; denn euer Vater war ja ein Wollenweber, und konnte auch kein Latein; doch sagten die Leute, er wäre ein braver Mann gewesen, wiewohl ich nie Tuch bei ihm gekauft habe. Hört, lieber Herr Pastor, ein ehrlicher Mann liebt Gott und den Nächsten, er thut recht und scheut niemand, er ist fleißig, sorgt für sich und die Seinigen, damit sie Brod haben mögen. Warum thut er doch das alles? –

»Ich glaube wahrhaftig ihr wollt mich catechisiren, Stilling! Braucht Respekt und wisst mit wem ihr redet. Das thut er, weil es recht und billig ist daß ers thut.«

Zürnet nicht daß ich euch widerspreche; er thuts darum, damit er hier und dort Freude haben möge.

»Ei was! damit kann er doch noch zur Hölle fahren.«

Mit der Liebe Gottes und des Nächsten?

»Ja! ja! wenn er den wahren Glauben an Christum nicht hat.«

Das versteht sich nun endlich von selber, daß man Gott und den Nächsten nicht lieben kann, wann man an Gott und sein Wort nicht glaubt. Aber antworte du, Wilhelm! Was dünkt dich?

Mich dünkt, wenn ich wüste, woher ich die Kosten nehmen sollte, so würde ich den Jungen wohl hüten, daß er nicht zu lateinisch würde. Er soll immer die müßigen Tage Cameelhaar-Knöpfe machen und mir nähen helfen, bis man sieht was Gott aus ihm machen will.

Das gefällt mir nicht übel, Wilhelm, sagte Vater Stilling; so rath ich auch. Der Junge hat einen unerhörten Kopf etwas zu lernen; Gott hat diesen Kopf nicht umsonst gemacht; laß ihn lernen was er kann und was er will; gib ihm zuweilen Zeit dazu, aber nicht zu viel, sonst kommt er dirs an's Müßiggehen, und liest auch nicht so fleißig; wenn er aber brav auf dem Handwerk geschaft hat und er wird auf die Bücher recht hungrig, denn laß ihn eine Stunde lesen, das ist genug. Nur mach daß er ein Handwerk rechtschaffen lernt, so hat er Brod bis er sein Latein brauchen kann und ein Herr wird.

»Hm! Hm! ein Herr wird, brummte Stollbein, er soll kein Herr werden, er soll mir ein Dorfschulmeister werden, und dann ists gut wann er ein wenig Latein kann. Ihr Bauersleute meint, das ging so leicht ein Herr zu werden. Ihr pflanzt den Kindern den Ehrgeiz ins Herz, der doch vom Vater dem Teufel herkommt.«

Dem alten Stilling heiterten sich seine grossen hellen Augen auf; er stund da wie ein kleiner Riese (denn er war ein langer ansehnlicher Mann) schüttelte sein weißgraues Haupt, lächelte und sprach: Was ist Ehrgeitz? Herr Pastor!

Stollbein sprang auf und rief: Schon wieder eine Frage, ich bin euch nicht schuldig zu antworten, sondern ihr mir. Gebt Acht in der Predigt, da werdet ihr hören was Ehrgeitz ist. Ich weis nicht, ihr werdet so stolz, Kirchenältester! ihr wart sonst ein sittsamer Mann.

Wie Ihrs aufnehmt, stolz oder nicht stolz. Ich bin ein Mann; ich hab Gott geliebt und ihm gedient, jedermann das Seinige gegeben, meine Kinder erzogen, ich war treu; meine Sünden vergiebt mir Gott, das weis ich; nun bin ich alt, mein Ende ist nah; ob ich wohl recht gesund bin, so muß ich doch sterben; da freu ich mich nun drauf, wie ich bald werde von hinnen reisen. Laßt mich stolz drauf seyn, wie ein ehrlicher Mann mitten unter meinen großgezogenen frommen Kindern zu sterben. Wenn ichs so recht bedenk', bin ich munterer als wie ich mit Margrethen Hochzeit machte.

»Man geht so mit Strümpf und Schuh nicht in Himmel!« sagte der Pastor.

Die wird mein Großvater auch ausziehen, eh er stirbt, sagte der kleine Henrich.

Ein jeder lachte, selbst Stollbein muste lachen.

Margrethe machte der Ueberlegung ein Ende. Sie schlug vor, sie wollte Morgens den Jungen satt füttern, ihm alsdenn ein Butterbrod für den Mittag in die Tasche geben, des Abends könnte er sich wieder daheim satt essen; und so kann der Junge Morgens früh nach Florenburg in die Schule gehen, sagte sie, und des Abends wieder kommen. Der Sommer ist ja vor der Thür; den Winter sieht man wie man's macht.

Nun wars fertig. Stollbein ging nach Hause.

Zu dieser Zeit ging eine große Veränderung in Stillings Hause vor, die drei ältesten Töchter heuratheten auswärts, und also machte Eberhard und seine Margrethe, Wilhelm, Mariechen und Henrich die ganze Familie aus. Eberhard beschloß auch nunmehr sein Kohlbrennen aufzugeben, und blos seiner Feldarbeit zu warten.

Die Tiefenbacher Dorfschule wurde vacant, und ein jeder Bauer hatte Wilhelm Stilling im Auge ihn zum Schulmeister zu wählen. Man trug ihm die Stelle auf; er nahm sie ohne Widerwillen an, ob er sich gleich innerlich ängstigte, daß er mit solchem Leichtsinn sein einsames heiliges Leben verlassen und sich unter die Menschen begeben wollte. Der gute Mann hatte nicht bemerkt, daß ihn nur der Schmerz über

Dortchens Tod, der kein ander Gefühl neben sich litt, zum Einsiedler gemacht hatte, und daß er, da dieser erträglicher wurde, wieder Menschen sehen, wieder an einem Geschäfte Vergnügen finden konnte. Er legte sichs ganz anders aus. Er glaubte, jener heilige Trieb fange an bei ihm zu erkalten, und nahm daher mit Furcht und Zittern die Stelle an. Er bekleidete sie mit Treue und Eifer, und fing zuletzt an zu muthmassen, daß es Gott nicht ungefällig seyn könnte, wenn er mit seinem Pfund wucherte und seinem Nächsten zu dienen suchte.

Nun fing auch unser Henrich an in die lateinische Schule zu gehen. Man kann sich leicht vorstellen, was er für ein Aufsehen unter den andern Schulknaben machte. Er war blos in Stillings Haus und Hof bekannt, und war noch nie unter Menschen gekommen; seine Reden waren immer ungewöhnlich, und wenig Menschen verstunden was er wollte; keine jugendliche Spiele, wornach die Knaben so brünstig sind, rührten ihn, er ging vorbei und sah sie nicht. Der Schulmeister Weiland merkte seinen fähigen Kopf und großen Fleiß; daher lies er ihn ungeplagt; und da er merkte daß ihm das langweilige Auswendiglernen unmöglich war, so befreite er ihn davon, und wirklich Henrichs Methode Latein zu lernen war für ihn sehr vortheilhaft. Er nahm einen lateinischen Text vor sich, schlug die Worte im Lexicon auf, da fand er dann was jedes für ein Theil der Rede sei; suchte ferner die Muster der Abweichungen in der Grammatik u.s.f. Durch diese Methode hatte sein Geist Nahrung in den besten lateinischen Schriftstellern, und die Sprache lernte er hinlänglich schreiben, lesen und verstehen. Was aber sein größtes Vergnügen ausmachte, war eine kleine Bibliotheck des Schulmeisters, die er Freyheit zu brauchen hatte. Sie bestund aus allerhand nützlichen Cöllnischen Schriften; vornemlich: der Reinecke

Fuchs mit vortreflichen Holzschnitten, Kaiser Octavianus nebst seinem Weib und Söhnen; eine schöne Historie von den vier Haimons Kindern; Peter und Magelone; die schöne Melusine, und endlich der vortrefliche Hanns Clauert. So bald nun Nachmittags die Schule aus war, so machte er sich auf den Weg nach Tiefenbach und las eine solche Historie unter dem Gehen. Der Weg ging durch grüne Wiesen, Wälder und Gebüsche, Berg auf und ab, und die reine wahre Natur um ihn machte die tiefsten feierlichsten Eindrücke in sein offenes freies Herz. Abends kamen dann unsere fünf liebe Leute zusammen; sie speisten, schütteten eins dem andern seine Seele aus, und sonderlich erzählte Henrich seine Historien, woran sich alle, Margrethe nicht ausgenommen, ungemein ergötzten. Sogar der ernste pietistische Wilhelm hatte Freude daran, und las sie wohl selbsten Sonntags Nachmittags, wenn er nach dem alten Schloß walfahrtete. Henrich sah ihm denn immer ins Buch wo er las, und wenn bald eine rührende Stelle kam, so jauchzte er in sich selber, und wenn er sah, daß sein Vater dabei empfand, so war seine Freude vollkommen.

Indessen ging doch des jungen Stillings latein lernen vortreflich von statten, wenigstens lateinische Historien zu lesen, zu verstehen, lateinisch zu reden und zu schreiben. Ob das nun genug sey, oder ob mehr erfordert werde, weis ich nicht, Herr Pastor Stollbein wenigstens forderte mehr. Nachdem Henrich ohngefehr ein Jahr in die lateinische Schule gegangen, so fiel es gemeldetem Herrn einmal ein, unsern Studenten zu examiniren. Er sah ihn aus seinem Stubenfenster vor der Schule stehen, er pfif, und Henrich flog zu ihm. Lernst auch brav?

»Ja, Herr Pastor.«

Wie viel *Verba anomala* sind?

»Ich weiß es nicht.«

Wie, Flegel, du weist's nicht? Es möchte leicht, ich gäb dir eins auf's Ohr. *Sum, possum*, nu! wie weiter?

»Das hab ich nicht gelernt.«

He, Madlene! ruf den Schulmeister.

Der Schulmeister kam.

Was laßt ihr den Jungen lernen?

Der Schulmeister stand an der Thüre, den Hut unterm Arm, und sagte demüthig:

»Latein.«

Da! ihr Nichtsnutziger, er weis nicht einmal, wie viel *verba anomala* sind.

»Weist du das nicht, Henrich?«

Nein, sagte dieser, ich weis es nicht.

Der Schulmeister fuhr fort: *Nolo* und *Malo* was sind das vor Wörter?

»Das sind *verba anomala.*«

Fero und *Volo* was sind das?

»*Verba anomala.*«

Nun, Herr Pastor, fuhr der Schulmeister fort, so kennt der Knabe alle Wörter.

Stollbein versetzte: Er soll aber die Regeln alle auswendig lernen; geht nach Haus, ich wills haben!

(Beyde.)

Ja, Herr Pastor!

Von der Zeit an, lernte Henrich mit leichter Mühe auch alle Regeln auswendig, doch vergaß er sie bald wieder. Das schien seinem Charakter eigen werden zu wollen; was sich nicht leicht bezwingen ließ, da flog sein Genie über weg. Nun genug von Stillings Latein lernen! wir gehen weiter.

Der alte Stilling fing nunmehro an seinen Vater-Ernst abzulegen und gegen seine wenige Hausgenossen zärtlicher zu werden; besonders hielt er Henrichen, der nunmehr 11 Jahr alt war, viel von der Schul zurück, und nahm ihn mit sich, wo er seiner Feldarbeit nachging; redete viel mit ihm von der Rechtschaffenheit eines Menschen in der Welt, besonders von seinem Verhalten gegen Gott; empfahl ihm gute Bücher, sonderlich die Bibel zu lesen, hernach auch was Doktor Luther, Calvinus, Oecolampadius und Bucerus geschrieben haben. Einsmalen gingen Vater Stilling, Mariechen und Henrich des Morgens früh in den Wald um Brennholz zuzubereiten. Margrethe hatte ihnen einen guten Milchbrei mit Brod und Butter in einen Korb zusammen gethan, welchen Mariechen auf dem Kopf trug; sie ging den Wald hinauf voran, Henrich folgte und erzählte mit aller Freude die Historie von den vier Heymons Kindern, und Vater Stilling schritt auf seine Holzaxt sich stützend seiner Gewohnheit nach, mühsam hinten drein und hörte fleißig zu. Sie kamen endlich zu einem weit entlegenen Ort des Waldes, wo sich eine grüne Ebne befand, die am einen Ende einen schönen Brunnen hatte. Hier laßt uns bleiben, sagte Vater Stilling, und setzte sich nieder; Mariechen nahm ihren Korb ab, stellte ihn hin und setzte sich auch. Henrich aber sah in seiner Seele wieder die Egyptische Wüste vor sich, worinnen er gern Antonius geworden wäre; bald darauf sah er den Brunnen der Melusine vor sich, und wünschte daß er Raymund wäre; dann vereinigten sich beyde Ideen und es wurde eine fromme romantische Empfindung draus, die ihn alles Schöne und Gute dieser einsamen Gegend mit höchster Wollust schmecken ließ. Vater Stilling stund endlich auf und sagte: Kinder bleibt ihr hier, ich will ein wenig herumgehen und abständig Holz suchen; ich will zuweilen rufen, ihr antwortet mir dann, damit ich euch nicht verliere. Er ging.

Indessen sassen Mariechen und Henrich beysammen und waren vertraulich. Erzähle mir doch, Baase! sagte Henrich, die Historie von Joringel und Jorinde noch einmal. Mariechen erzählte:

»Es war einmal ein altes Schloß mitten in einem großen dicken Wald; darinnen wohnte eine alte Frau ganz allein, das war eine Erzzauberinn. Am Tage machte sie sich bald zur Katze, oder zum Hasen, oder zur Nachteule; des Abends aber wurde sie ordentlich wieder wie ein Mensch gestaltet. Sie konnte das Wild und die Vögel herbeylocken, und dann schlachtete sie's, kochte und bratete es. Wenn jemand auf hundert Schritte nah bey's Schloß kam, so muste er stille stehen und konnte sich nicht von der Stelle bewegen, bis sie ihn los sprach; wenn aber eine reine keusche Jungfer in diesen Kreis kam, so verwandelte sie dieselbe in einen Vogel und sperrte sie denn in einen Korb ein, in die Kammern des Schlosses. Sie hatte wohl sieben tausend solcher Körbe mit so raren Vögeln im Schlosse.

Nun war einmal eine Jungfer, die hieß Jorinde; sie war schöner als alle andere Mädchens, die, und dann ein gar schöner Jüngling, Namens Joringel, hatten sich zusammen versprochen. Sie waren in den Brauttagen, und hatten ihr größtes Vergnügen eins am andern. Damit sie nun einsmalen vertraut zusammen reden könnten, gingen sie in den Wald spatzieren. Hüte dich, sagte Joringel, daß du nicht zu nah an das Schloß kommst! Es war ein schöner Abend, die Sonne schien zwischen den Stämmen der Bäume hell ins dunkle Grün des Walds, und die Turteltaube sang kläglich auf den alten Maybuchen. Jorinde weinte zuweilen, setzte sich hin in Sonnenschein und klagte. Joringel klagte auch; sie waren so bestürzt als wenn sie hätten sterben sollen; sie sahen sich um, waren irre, und wusten nicht wohin sie nach Hause gehen sollten. Noch halb stund die Sonne über dem Berg und halb war sie unter. Joringel sah durchs Gebüsch und sah die alte Mauer des Schlosses nah bei sich, er erschrack und wurde todbang, Jorinde sang:

Mein Vögelein mit dem Ringelein roth,

Singt Leide Leide Leide;

Es singt dem Täubelein seinen Tod,

Singt Leide Lei – Zicküth Zicküth

Zicküth.

Joringel sah nach Jorinde. Jorinde war in eine Nachtigal verwandelt, die sang Zicküth Zicküth. Eine Nachteule mit glühenden Augen flog dreymal um sie herum und schrie dreymal Schu – hu – hu – hu. Joringel konnte sich nicht regen; er stand da wie ein Stein, konnte nicht weinen, nicht reden, nicht Hand noch Fuß regen. Nun war die Sonne unter; die Eule flog in einen Strauch, und gleich darauf kam eine alte krumme Frau aus diesem Strauch hervor, gelb und mager, große rothe Augen, krumme Nase, die mit der Spitze an's Kinn reichte. Sie murmelte und fing die Nachtigal, trug sie auf der Hand fort. Joringel konnte nichts sagen, nicht von der Stelle kommen; die Nachtigal war fort; endlich kam das Weib wieder und sagte mit dumpfer Stimme: Grüß' dich Zachiel! Wenns Möndel ins Körbel scheint, bind los Zachiel zu guter Stund! Da wurd Joringel los; er fiel vor dem Weib auf die Knie, und bat, sie möchte ihm seine Jorinde wieder geben; aber sie sagte, er sollte sie nie wieder haben und ging fort. Er rief, er weinte, er jammerte, aber alles umsonst. Nu! was soll mir geschehn? Joringel ging fort und kam endlich in ein fremdes Dorf; da hütet er die Schafe lange Zeit. Oft ging er rund um das Schloß herum, aber nicht zu nahe dabei; endlich träumte er einmal des Nachts, er fänd eine blutrothe Blume, in deren Mitte eine schöne große Perle war; die Blume bräch er ab, ging damit zum Schlosse; alles was er mit der Blume berührte, ward von der Zauberei frei; auch träumte er, er hätte seine Jorinde dadurch wieder bekommen. Des Morgens als er erwachte, fing er an durch Berg und Thal zu suchen, ob er eine solche Blume fände; er suchte bis an den neunten Tag, da fand er die blutrothe Blume am Morgen früh. In der Mitte war ein großer Thautropfe, so groß wie die schönste Perle. Diese Blume trug er Tag und Nacht bis zum Schloß. Nu! es war mir gut! Wie er auf hundert Schritt nahe bei's Schloß kam, da wurd er nicht fest, sondern ging fort, bis ans Thor. Joringel freute sich hoch, berührte die Pforte mit der Blume und sie sprang auf; er ging hinein, durch den Hof, horchte wo er die vielen Vögel vernähm. Endlich hört er's; er ging und fand den Saal; darauf war die Zauberinn, fütterte die Vögel in den sieben tausend Körben. Wie sie den Joringel sah, ward sie bös, sehr bös, schalt, spie Gift und Galle gegen ihn aus, aber sie konnt auf zwei Schritte nicht an ihn kommen. Er kehrte sich nicht an sie, und ging, besah die Körbe mit den Vögeln; da waren aber viel hundert Nachtigallen; wie sollte er nun seine Jorinde wieder finden? Indem er so zusah, merkt er, daß die Alte heimlich ein Körbchen mit einem Vogel nimmt und damit nach der Thüre geht. Flugs sprang er hinzu, berührte das Körbchen mit der Blume, und auch das alte Weib; nun konnte sie nichts mehr zaubern; und Jorinde stund da, hatte ihn um den Hals gefaßt, so schön als sie ehemals war. Da machte er auch all die andern Vögel wieder zu Jungfern, und da ging er mit seiner Jorinde nach Hause, und lebten lange vergnügt zusammen.«

Henrich saß wie versteinert, seine Augen starrten grad aus, und der Mund war halb offen. Baase! sagte er endlich, das könnt einem des Nachts bang machen. Ja, sagte sie, ich erzähls auch des Nachts nicht, sonst werd ich selber bang. Indem sie so sassen, pfif Vater Stilling. Mariechen und Henrich antworteten mit einem He! He! Nicht lange hernach kam er; er sah munter und fröhlich aus, als wenn er etwas gefunden hätte; lächelte wohl zuweilen, stand, schüttelte den Kopf, sah auf eine Stelle, faltete die Hände, lächelte wieder. Mariechen und Henrich sahen ihn mit Verwunderung an; doch durften sie ihn nicht fragen; denn er thäts wohl oft so, daß er vor sich allein lachte. Doch Stillingen war das Herz zu voll; er setzte sich zu ihnen nieder und erzählte; wie er anfing so stunden ihm die Augen voll Wasser. Mariechen und Henrich sahen es, und schon liefen ihnen auch die Augen über.

Wie ich von euch in Wald hinein ging, sah ich weit vor mir ein Licht, eben so als wenn Morgens früh die Sonne aufgeht. Ich verwunderte mich sehr. Ei! dacht ich, dort steht ja die Sonne am Himmel; ist das denn eine neue Sonne? Das muß ja was wunderlichs seyn, das muß ich sehen. Ich ging drauf an; wie ich vorn hin kam, siehe da war vor mir eine Ebne, die ich mit meinen Augen nicht übersehen konnte. Ich hab mein lebtag so herrlichs nicht gesehen; so ein schöner Geruch, so eine kühle Luft kam da'rüber her, ich kanns euch nicht sagen. Es war so weiß Licht durch die ganze Gegend, der Tag mit der Sonne ist Nacht dagegen. Da standen viel tausend prächtige Schlösser, eins nah beym andern. Schlösser! – ich kanns euch nicht beschreiben! als wenn sie von lauter Silber wären. Da waren Gärten, Büsche, Bäche. O Gott wie schön! – Nicht weit von mir stand ein großes herrliches Schloß. (Hier liefen dem guten Stilling die Thränen häufig die Wangen herunter, Mariechen und Henrichen auch.) Aus der Thür dieses Schlosses kam jemand heraus, auf mich zu, wie eine Jungfrau. Ach! ein herrlicher Engel! – Wie sie nah bei mir war, ach Gott! da war es unser seliges Dortchen! (Nun schluchsten sie alle drei, keins konnte etwas reden, nur Henrich rief und heulte: O meine Mutter! meine liebe Mutter!) – Sie sagte gegen mich so freundlich, eben mit der Mine die mir ehemal so oft das Herz stahl: Vater, dort ist unsere ewige Wohnung, ihr kommt bald zu uns. – Ich sah, und siehe alles war Wald vor mir; das herrliche Gesicht war weg. Kinder, ich sterbe bald; wie freu ich mich drauf! Henrich konnte nicht aufhören zu fragen, wie seine Mutter ausgesehen, was sie angehabt, und so weiter. Alle drei verrichteten den Tag durch ihre Arbeit, und sprachen beständig von dieser Geschichte. Der alte Stilling aber war von der Zeit an, wie einer der in der Fremde und nicht zu Hause ist.

Ein altes Herkommen, dessen ich (wie vieler andern) noch nicht erwähnt, war; daß Vater Stilling alle Jahr selbsten ein Stück seines Hausdaches, das Stroh war, eigenhändig decken muste. Das hatte er nun schon acht und vierzig Jahr gethan, und diesen Sommer sollt es wieder geschehen. Er richtete es so ein, daß er alle Jahr so viel davon neu deckte, so weit das Roggenstroh reichte, das er für dies Jahr gezogen hatte.

Die Zeit des Dachdeckens fiel gegen Michaelstag, und rückte nun mit Macht heran; so daß Vater Stilling anfing darauf zu Werk zu legen. Henrich war dazu bestimmt ihm zur Hand zu langen, und also wurde die lateinische Schule auf acht Tage ausgesetzt. Margrethe und Mariechen hielten täglich in der Küche geheimen Rath, über die bequemsten Mittel wodurch er vom Dachdecken zurückgehalten werden möchte. Sie beschlossen endlich beide, ihm ernstliche Vorstellungen zu thun, und ihn vor Gefahr zu warnen; sie hatten die Zeit während dem Mittagessen dazu bestimmt.

Margrethe brachte also eine Schüssel Muß, und auf derselben vier Stücke Fleisches, die so gelegt waren, daß ein jedes just vor den zu stehen kam, für den es bestimmt war. Hinter ihr her kam Mariechen mit einem Kumpen voll gebrockter Milch. Beyde setzten ihre Schüsseln auf den Tisch, an welchem Vater Stilling und Henrich schon an ihrem Ort sassen, und mit wichtiger Mine von ihrer nun Morgen anzufangenden Dachdeckerei redeten. Denn, im Vertrauen gesagt, wie sehr auch Henrich auf Studieren, Wissenschaften und Bücher verpicht seyn mochte, so wars ihm doch eine weit größere Freude, in Gesellschaft seines Großvaters, zuweilen entweder im Wald, auf dem Feld oder gar auf dem Hausdach zu klettern; denn dieses war nun schon das dritte Jahr, daß er seinem Großvater als Diakonus bei dieser jährlichen Solennität beygestanden. Es ist also leicht zu denken, daß der Junge herzlich verdrüßlich werden muste, als er Margrethens und Mariechens Absichten zu begreifen anfieng.

Ich weiß nicht, Ebert, sagte Margrethe, indem sie ihre linke Hand auf seine Schultern legte, du fängst mir so an zu verfallen. Spürst du nichts in deiner Natur?

»Man wird als alle Tage älter, Margrethe.«

O Herr ja! Ja freylich, alt und steif.

Ja wohl, versetzte Mariechen und seufzte.

Mein Großvater ist noch recht stark vor sein Alter, sagte Henrich.

»Ja wohl, Junge, antworte der Alte. Ich wollte noch wohl in die Wette mit dir die Leiter nauf laufen.«

Henrich lachte hart. Margrethe sah wohl, daß sie auf dieser Seite die Vestung nicht überrumpeln würde; daher suchte sie einen andern Weg.

Ach ja, sagte sie, es ist eine besondere Gnade, so gesund in seinem Alter zu seyn; du bist, glaub ich, nie in deinem Leben krank gewesen, Ebert?

»In meinem Leben nicht, ich weiß nicht was Krankheit ist; denn an den Pocken und Rötheln bin ich herumgegangen.«

Ich glaub doch, Vater! versetzte Mariechen, ihr seyd wohl verschiedene malen vom Fallen krank gewesen; denn ihr habt uns wohl erzählet, daß ihr oft gefährlich gefallen seyd.

»Ja, ich bin dreymal tödtlich gefallen.«

Und das viertemal, fuhr Margrethe fort, wirst du dich todt fallen, mir ahnt es. Du hast letzthin im Wald das Gesicht gesehen; und eine Nachbarinn hat mich kürzlich gewarnt und gebeten, dich nicht aufs Dach zu lassen; denn sie sagte, sie hätte des Abends, wie sie die Küh gemolken, ein Poltern und klägliches Jammern neben unserm Hause im Wege gehört. Ich bitte dich, Ebert! thu mir den Gefallen, und laß jemand anders das Haus decken, du hasts ja nicht nöthig.

»Margrethe! – kann ich, oder jemand anders denn nicht in der Strasse ein ander Unglück bekommen? Ich hab das Gesicht gesehen, ja, das ist wahr! – unsere Nachbarin kann auch diese Vorgeschicht gehört haben; Ist dieses gewiß? wird dann derjenige dem entlaufen, was Gott über ihn beschlossen hat? Hat er beschlossen, daß ich meinen Lauf hier in der Strasse endigen soll, werd ich, armer Dummkopf von Menschen!

das wohl vermeiden können? und gar wenn ich mich todt fallen soll, wie werd ich mich hüten können? Gesetzt, ich blieb vom Dach, kann ich nicht heut oder morgen da in der Strassen einen Karren Holz losbinden wollen, drauf steigen, straucheln und den Hals abstürzen? Margrethe! laß mich in Ruh; ich werde so ganz grade fortgehen, wie ich bis dahin gegangen bin; wo mich dann mein Stündchen überrascht, da werd ichs willkommen heissen.«

Margrethe und Mariechen sagten noch ein und das andere, aber er achtete nicht drauf, sondern redete mit Henrichen von allerhand die Dachdeckerei betreffenden Sachen; daher sie sich zufrieden gaben und sich das Ding aus dem Sinne schlugen.

Des andern Morgens stunden sie frühe auf, und der alte Stilling fing an, während daß er ein Morgenlied sang, das alte Stroh loszubinden und abzuwerfen, womit er denn diesen Tag auch hübsch fertig wurde; so daß sie des folgenden Tages schon anfingen das Dach mit neuem Stroh zu belegen; mit einem Wort, das Dach ward fertig, ohne die mindeste Gefahr oder Schreck dabei gehabt zu haben; ausser daß es noch einmal bestiegen werden muste, um starke und frische Rasen oben über den First zu legen. Doch damit eilte der alte Stilling so sehr nicht; es gingen wohl noch acht Tage über, eh es ihm einfiel dies letzte Stück Arbeit zu verrichten.

Des folgenden Mittwochs Morgens stund Eberhard ungewöhnlich früh auf, ging im Hause umher von einer Kammer zur andern, als wenn er was suchte. Seine Leute verwunderten sich, fragten ihn, was er suche? Nichts, sagte er. »Ich weiß nicht, ich bin so wohl, doch hab ich keine Ruhe, ich kann nirgend still seyn, als wenn etwas in mir wäre, das mich triebe, auch spür ich so eine Bangigkeit, die ich nicht kenne. Margrethe rieth ihm, er sollte sich anziehen und mit Henrichen nacher Lichthausen gehen, seinen Sohn, Johann, zu besuchen. Er war damit zufrieden; doch wollte er zuerst die Rasen oben auf den Hausfirst legen, und dann des andern Tages seinen Sohn besuchen. Dieser Gedanke war seiner Frauen und Tochter sehr zuwider. Des Mittags über Tisch ermahnten sie ihn wieder ernstlich vom Dach zu bleiben; selbst Henrich bat ihn jemand vor Lohn zu kriegen, der vollends mit der Deckerei ein Ende mache. Allein der vortrefliche Greiß lächelte mit einer unumschränkten Gewalt um sich her; Ein Lächeln, das so manchem Menschen das Herz geraubt und Ehrfurcht eingeprägt hatte! Dabei sagte er aber kein Wort. Ein Mann, der mit einem beständig guten Gewissen alt geworden, sich vieler guten Handlungen bewust ist, und von Jugend auf sich an einen freyen Umgang mit Gott und seinem Erlöser gewöhnt hat, gelangt zu einer Größe und Freiheit, die nie der größte Eroberer erreicht hat. Die ganze Antwort Stillings auf diese, gewiß treugemeinte Ermahnungen der Seinigen, bestund darinn: Er wollte da auf den Kirschbaum steigen, und sich noch einmal recht satt Kirschen essen. Es war nemlich ein Baum, der hinten im Hof stund, und sehr spät, aber desto vortrefflichere Früchte trug. Seine Frau und Tochter verwunderten sich über diesen Einfall, denn er war wohl in zehen Jahren auf keinem Baum gewesen. Nun dann! sagte Margrethe, du must nun vor diese Zeit in die Höh, es mag kosten was es wolle. Eberhard lachte und antwortete: Je höher, je näher zum Himmel! Damit ging er zur Thür hinaus, und Henrich hinter ihm her auf den Kirschbaum zu. Er faßte den Baum in seine Arme und die Knie, und kletterte hinauf bis oben hin, setzte sich in eine Furke des Baums, fing an, aß Kirschen, und warf Henrichen zuweilen ein Aestchen herab. Margrethe und Mariechen kamen ebenfalls. Halt! sagte die ehrliche Frau, heb mich ein wenig Mariechen, daß ich nur die unterste Aeste fassen kann, ich muß da probieren, ob ich auch noch hinauf kann. Es gerieth, sie kam hinauf. Stilling sah herab und lachte herzlich, und sagte, das heißt recht verjüngt werden, wie die Adler. Da saßen beyde ehrliche alte Grauköpfe in den Aesten des Kirschbaumes, und genossen noch einmal zusammen die süßen Früchte ihrer Jugend; besonders war Stilling aufgeräumt. Margrethe stieg wieder herab und ging mit Mariechen in den Garten, der eine ziemliche Strecke unterhalb dem Dorf war. Eine Stunde hernach stieg auch Eberhard herab, ging und hatte einen Haken, um Rasen damit abzuschälen. Er ging des Endes oben ans Ende des Hofs an den Wald; Henrich blieb gegen dem Hause über unter dem Kirschbaum sitzen; endlich kam Eberhard wieder, hatte einen großen Rasen um den Kopf hangen, bückte sich zu Henrichen, sah ganz ernsthaft aus und sagte: Sieh, welch eine Schlafkappe! – Henrich fuhr in einander, und ein Schauer ging ihm durch die Seele. Er hat mir hernach wohl gestanden, daß dieses einen unvergeßlichen Eindruck auf ihn gemacht habe.

Indessen stieg Vater Stilling mit dem Rasen das Dach hinauf. Henrich schnitzelte an einem Hölzchen; indem er darauf sah, hörte er ein Gepolter; er sah hin, vor seinen Augen wars schwarz wie die Nacht – Lang hingestreckt lag da der theure liebe Mann unter der Last von Leitern, seine Hände vor der Brust gefalten; die Augen starrten, die Zähne klapperten und alle Glieder bebten, wie ein Mensch im starken Frost. Henrich warf eiligst die Leitern von ihm, streckte die Arme aus, und lief wie ein Rasender das Dorf hinab und erfüllte das ganze Thal mit Zeter und Jammer. Margrethe und Mariechen hörten im Garten kaum halb die Seelzagende kenntliche Stimme ihres geliebten Knaben; Mariechen that einen hellen Schrei, rung die Hände über dem Kopf und flog das Dorf hinauf. Margrethe strebte hinter ihr her, die Hände vorwärts ausgestreckt, die Augen starrten umher; dann und wann machte ein heiserer Schrei der beklemmten Brust ein wenig Luft. Mariechen und Henrich waren zuerst bei dem lieben Manne. Er lag da, lang ausgestreckt, die Augen und der Mund waren geschlossen, die Hände noch vor der Brust gefalten, und sein Odem ging langsam und stark, wie bey einem gesunden Menschen der ordentlich schläft; auch bemerkte man nirgend daß er blutrüstig war. Mariechen weinte häufige Thränen auf sein Angesicht und jammerte beständig: Ach! mein Vater! mein Vater! Henrich saß zu seinen Füßen im Staub, weinte und heulte. Indessen kam Margrethe auch hinzu; sie fiel neben ihm nieder auf die Knie, faßte ihren Mann um den Hals, rief ihm mit ihrer gewohnten Stimme ins Ohr, aber er gab kein Zeichen von sich. Die heldenmüthige Frau stund auf, faßte Muth; auch war keine Thräne aus ihren Augen gekommen. Einige Nachbarn waren indessen hinzugekommen; vergossen Alle Thränen, denn er war allgemein geliebt gewesen. Margrethe machte geschwind in der Stube ein niedriges Bette zurecht; sie hatte ihre beste Betttücher, die sie vor etlich und vierzig Jahren als Braut gebraucht hatte, übergespreitet. Nun kam sie ganz gelassen heraus, und rief: Bringt nur meinen Eberhard herein aufs Bett! Die Männer faßten ihn an, Mariechen trug am Kopf, und Henrich hatte beide Füße in seinen Armen; sie legten ihn aufs Bett und Margrethe zog ihn aus und deckte ihn zu. Er lag da, ordentlich wie ein gesunder Mensch der schläft. Nun wurde Henrich beordert nach Florenburg zu laufen, um einen Wundarzt zu holen. Der kam auch denselben Abend, untersuchte ihn, ließ ihm zur Ader und erklärte sich, daß zwar nichts zerbrochen sey, aber doch sein Tod binnen dreyen Tagen gewiß seyn würde, indem sein Gehirn ganz zerrüttet wäre.

Nun wurden Stillings Kinder alle sechs zusammen berufen, die sich auch des andern Morgens Donnerstags zeitig einfanden; Sie setzten sich alle rings ums Bette, waren stille, klagten und weinten. Die Fenster wurden mit Tüchern zugehangen, und Margrethe wartete ganz gelassen ihrer Hausgeschäfte. Freytags Nachmittags fing der Kopf des Kranken an zu beben, die oberste Lippe erhob sich ein wenig und wurde blaulicht, und ein kalter Schweiß duftete überall hervor. Seine Kinder rückten näher ums Bette zusammen. Margrethe sah es auch; sie nahm einen Stuhl und setzte sich zurück an die Wand ins Dunkele; alle sahen vor sich nieder und schwiegen. Henrich saß zu den Füßen seines Großvaters, sah ihn zuweilen mit nassen Augen an und war auch stille. So saßen sie alle bis Abends neun Uhr. Da bemerkte Cathrine zuerst, daß ihres Vaters Odem still stand. Sie rief ängstlich: Mein Vater stirbt! – Alle fielen mit ihrem Angesicht auf das Bette, schluchsten und weinten. Henrich stund da, ergriff seinem Großvater beide Füße und weinte bitterlich. Vater Stilling hohlte alle Minuten tief Odem, wie einer der tief seufzet, und von einem Seufzer zum andern war der Odem ganz stille; an seinem ganzen Leibe regte und bewegte sich nichts als der Unterkiefer, der sich bei jedem Seufzer ein wenig vorwärts schob.

Margrethe Stillings hatte bis dahin bei all ihrer Traurigkeit noch nicht geweint; so bald sie aber Catharinen rufen hörte, stund sie auf, ging ans Bett, und sah ihrem sterbenden Manne ins Gesicht; nun fielen einige Thränen die Wangen herunter; sie dehnte sich aus (denn sie war vom Alter ein wenig gebückt) richtete ihre Augen auf und reckte die Hände gen Himmel, und betete mit dem feurigsten Herzen; sie holte jedesmal aus tiefster Brust Odem, und den verzehrte sie in einem brünstigen Seufzer. Sie sprach die Worte plattdeutsch nach ihrer Gewohnheit aus, aber sie waren alle voll Geist und Leben. Der Inhalt ihrer Worte war, daß ihr Gott und Erlöser ihres lieben Mannes Seele gnädig aufnehmen, und zu sich in die ewige Freude nehmen möge. Wie sie anfing zu beten, sahen alle ihre Kinder auf, erstaunten, sunken im Bett auf die Knie und beteten in der Stille mit. Nun kam der letzte Herzensstoß; der ganze Körper zog sich; er stieß einen Schrei aus; nun war er verschieden. Margrethe hörte auf zu beten, faßte dem entseelten Manne seine rechte Hand an, schüttelte sie und sagte: Leb wohl, Eberhard! in dem schönen Himmel! bald sehen wir uns wieder! So wie sie das sagte, sank sie nieder auf ihre Knie; alle ihre Kinder fielen um sie herum. Nun weinte auch Margrethe die bittersten Thränen und klagte sehr.

Die Nachbarn kamen indessen, um den Entseelten anzukleiden. Die Kinder stunden auf, und die Mutter hohlte das Todtenkleid. Bis den folgenden Montag lag er auf der Baare; da führte man ihn nach Florenburg, um ihn zu begraben.

Herr Pastor Stollbein ist aus dieser Geschichte als ein störrischer wunderlicher Mann bekannt, allein ausser dieser Laune war er gut und weichherzig. Wie Stilling ins Grab gesenkt wurde, weinte er helle Thränen; und auf der Kanzel waren unter beständigem Weinen seine

Worte: Es ist mir leid um dich, mein Bruder Jonathan! Wollte Gott, ich wäre für dich gestorben! und der Text zur Leichenrede war: Ei du frommer und getreuer Knecht! du bist über weniges getreu gewesen, ich will dich über viel setzen; gehe ein zu deines Herrn Freude!

Sollte einer meiner Leser nach Florenburg kommen, gegen der Kirchthür über, da wo der Kirchhof am höchsten ist, da schläft Vater Stilling auf dem Hügel. Sein Grab bedeckt kein prächtiger Leichstein; aber oft fliegen im Frühling ein Paar Täubchen einsam hin, girren und liebkosen sich zwischen dem Gras und Blumen, die aus Vater Stillings Moder hervorgrünen.

Lightning Source UK Ltd.
Milton Keynes UK
UKHW030636121222
413794UK00010B/720